ÉLIPHAS LÉVI

OS MISTÉRIOS DA CABALA

OU

A HARMONIA OCULTA DOS DOIS TESTAMENTOS

Tradução de
Frederico Ozanam Pessoa de Barros

EDITORA PENSAMENTO
São Paulo

Edição
2-3-4-5-6-7-8-9

Ano
87-88-89-90-91-92-93

EDITORA PENSAMENTO LTDA.
Rua Dr. Mário Vicente, 374 - 04270 São Paulo, SP - Fone 63-3141

Impresso em nossas oficinas gráficas.

SUMÁRIO

PRIMEIRA PARTE

A PROFECIA DE EZEQUIEL

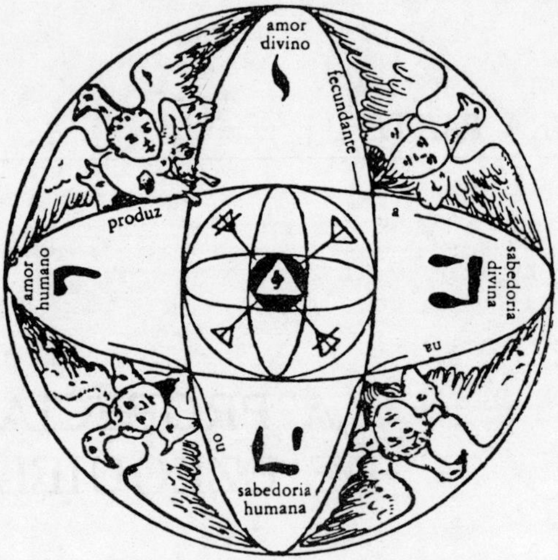

A visão de Ezequiel

ANÁLISE E EXPLICAÇÃO CABALÍSTICA DA PROFECIA

Jerusalém, ameaçada pelos assírios e inutilmente advertida pelos profetas, caminhava para sua ruína; o rei Joachim, com um grande número de judeus, já havia sido levado para o cativeiro. Ezequiel, sacerdote e iniciado nos segredos do santuário, escreveu então sua profecia para conservar sob símbolos tradicionais as grandes doutrinas da teologia oculta dos hebreus e os pontos principais da ciência universal do antigo mundo.

Aqui, os quatro grandes rios do Éden e da vida das civilizações humanas em quatro formas; saem de uma única fonte trinária, que é o olho da divindade; é o som da harmonia das esferas figurando o olho da razão eterna, emitindo sua luz no círculo das três vezes Santa Trindade. No centro, a Elipse das formas da vida: Há duas Elipses na cruz da vida espiritual e duas Elipses na cruz da vida natural.

O centro do Éden é a fonte única do princípio único que projeta todas as formas da natureza, como a célula é o tipo único das formas do reino vegetal, do reino animal e das formas do gênero humano.

A grande Visão de Ezequiel.

PROFECIA DE EZEQUIEL

CAPÍTULO PRIMEIRO

E aconteceu aos trinta anos, em o quarto mês.

Três multiplicado por dez (30) no ciclo de doze. Divisão do ternário pelo quaternário no ciclo de doze.[1]

Ao quinto dia do mesmo mês.

Cinco, o número da alma, rainha dos quatro elementos, na ciência de três explicada pelo dez e regulada pelo movimento de doze.

Estando eu no meio dos cativos, junto ao rio de Chobar.

ש ב ר O rio da luz astral e profética figurado por animando Beth e reproduzindo-se por Resch.

Abriram-se os céus.

Isto é, foi-me dada a inteligência das analogias celestes.

1. Este breve comentário é desenvolvido do seguinte modo por J. Charrot: 3x 10 = 30 decanatos, e 30 x 12 = 360 e 3 vezes 24 = 72, que é o ternário dividido por quatro e que dá 18. Assim, 30 decanatos no ciclo de 12, isto é, 12 vezes 30, dão 360 do ano de uma igreja no ciclo de 12 meses das 4 estações de uma civilização. Acrescentando-se 0, temos 3.600, que é seis vezes a semana de Moisés. Compreendam: 1.800 nada mais é que a metade de uma dupla civilização.

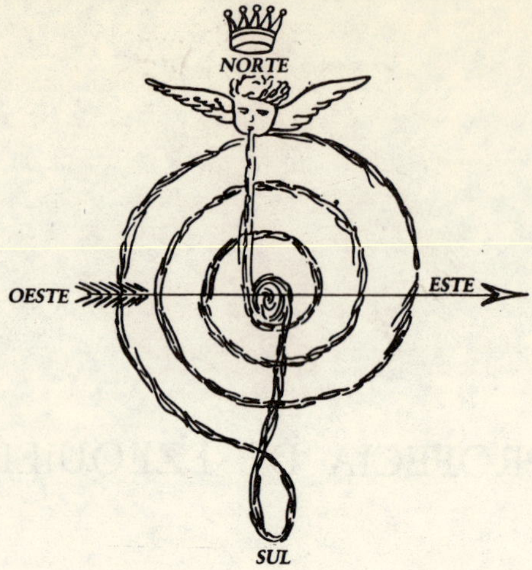

Impulso do princípio motor.

E tive visões de Deus.

Isto é, os hieróglifos visíveis sob os quais se manifestam as idéias que, sabiamente, podemos fazer de Deus.

E vi, e eis que vinha da banda do aquilão um vento.

O impulso do princípio motor é dado no pólo negativo e se manifesta no pólo positivo.

E uma grande nuvem.

A substância universal, o Éter, condensa-se por um começo de polarização molecular, e a matéria aparece primeiro no estado gasoso e depois sob a forma de vapores.

E um fogo que rodava, turbilhonando.

A força ativa que se manifesta no fogo caminha com impetuosidade de um pólo a outro e dá a todos os pontos de matéria, ou do Éter condensado, um movimento rápido de rotação. Então, manifestam-se a força de atração e a força de projeção.

E, no meio do fogo, no centro da luz universal polarizada em círculo astral, como em configuração elétrica, aparece um globo de luz semelhante à do âmbar ou a um ouro transparente.

Visão do fogo em torvelinho.

Coagulação da luz e formação do nó astral elétrico.

E no meio dessa forma: no ponto central do globo primitivo de onde brilha a projeção e para o qual se dirige a atração como a aparência de quatro animais:

(1) A águia: o ar, a inteligência, o espírito, a alma.

(2) O homem: a água, o conhecimento, a vida, a luz.

(3) O leão: o fogo, a força, a ação, o movimento.

(4) O touro: a terra, o trabalho, a resistência, a forma.

Entre os hindus, a águia é substituída pelo pavão e o leão pela serpente.

E eis qual era a sua aparência:

Os animais são puramente hieroglíficos e não passam de figuras convencionais.

O rosto do homem estava no centro:

O homem é a síntese das formas e o centro inteligente da criação.

O animal era único em sua forma e se repetia quatro vezes como o nome יהוה único e composto de quatro letras.

As forças, combinando-se, produzem as forças elementares.

E ele tinha quatro faces e quatro asas: quatro caracteres que representam quatro pensamentos e quatro mãos de cada lado sob suas asas:

O poder de ação correspondia ao pensamento e seus pés direitos assemelhavam-se aos de um novilho: essa ficção tinha como base o mistério do sacrifício.

Eles estavam cobertos de faíscas brilhantes como o bronze abraseado.

Eles figuravam, assim, os quatro pontos cardeais do céu semeado de estrelas.

Suas faces olhavam de quatro lados.

Os quatro hieróglifos têm, cada um, uma significação absoluta.

Suas asas se tocavam quando se estendiam.

Mas os pensamentos que eles representam são relativos e análogos uns aos outros.

E eles caminhavam sempre pelo mesmo caminho sem jamais voltar sobre seus passos.

O círculo roda, os quatro pontos vão e vêm sem jamais retroceder.

E eles tinham, todos os quatro, um rosto de homem; depois, à direita, uma cabeça de leão, à esquerda uma cabeça de boi e, acima, uma cabeça de águia.

O homem dominado pela inteligência é colocado no centro da força ativa e da força passiva, porque tem uma alma ativa e um corpo passivo, que recebe da alma o movimento e a atividade.

Éliphas Lévi insere aqui uma série de ídolos e de imagens iniciáticas, destinadas a estabelecer que o uso dos animais e de suas partes é puramente convencional e que é preciso considerá-los como hieróglifos.

A extensão deste parêntese indica a importância que ele dá a essa verdade, enquanto a variedade dos exemplos indica que a considera universal.

(Nota da edição francesa)

CABALA ASSÍRIA (Escultura de Nínive)

A inteligência vitoriosa sobre a força.
O fogo regido e vencido pela água.

ESCULTURA DE NÍNIVE

O homem de inspiração.
A água etérea ou matéria universal.

FRAGMENTO ASSÍRIO

A força dominando a matéria.
O fogo penetrando a casca da terra.

A VIGÉSIMA PRIMEIRA CHAVE DO TARÔ

A coroa, o tetragrama: a vida no movimento e na estabilidade.
Síntese universal.

INICIAÇÃO HINDU

Vichnu no centro do universo.

INICIAÇÃO EGÍPCIA

A grande esfinge de Tebas.

Éliphas Lévi coloca nesta série o Arco da Aliança, sem outro comentário; mas eis o comentário fornecido por um de seus discípulos, comentário extraído, por certo, da correspondência do mestre:

"É o mundo das idéias, que se manifesta nas formas representadas hieroglificamente pelo arco da aliança.

Os quatro animais simbólicos são o emblema dos gênios equilibrantes das quatro formas elementares, na ordem física, moral, intelectual e religiosa, nos reinos mineral, vegetal, animal e humano. Cada gênio das quatro formas tem uma dupla aspiração, marcada por duas asas, uma ascendente e outra descendente, para exprimir a passagem da vida que sobe com a alma e que desce com o corpo.

As quatro asas que cobrem o propiciatório são a expressão das quatro correntes celestes do agente universal aos quatro cantos do mundo da humanidade; e as quatro asas que cobrem as paredes da arca exprimem que o que está embaixo é como o que está no alto. Se o que está nas formas fixas não tivesse estado antes nas formas voláteis, os corpos não existiriam; não mais que as leis que os regem nos quatro reinos.

É no interior da arca do universo, isto é, na ação lenta da combustão dos elementos e de suas formas que se combinam os raios da luz para produzir, em analogia, a direção da razão de ser das coisas, que não estão mais, naquelas que devem estar, numa relação perfeita, por assim dizer, matemática.

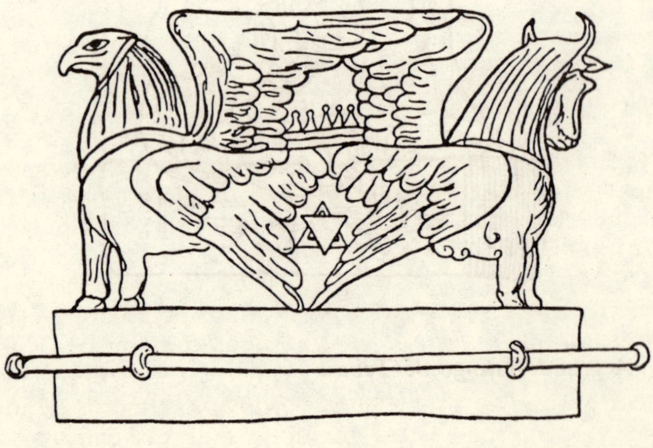

A Arca da Aliança e os Querubins.

A Arca da Aliança (frente).

Estão aí, sob essa cúpula celeste de aspiração das almas que brilham, as causas sobre as idéias-mãe das formas: aonde a ação benfeitora do esplendor solar envia o calor e a vida para formar os corpos das almas destinadas à existência terrestre.

É sob essa cúpula que o grande sacerdote fazia Deus falar sobre o destino das doze tribos de Israel.

O duplo triângulo que separa as asas descendentes, uma das quais negra e a outra branca, mostra a dualidade das idéias e das formas; isto é, que o triângulo branco exprime tudo o que nos é conhecido, porque o triângulo invertido é a sombra de Deus, e essa sombra, para nós, é a luz. Enquanto o triângulo negro, com a ponta para cima, é a luz de Deus que, para nós, é a sombra.

Assim, esses dois triângulos explicam a luta entre o finito e o infinito, que se comunica por meio da pulsação universal.

A base quadrangular é o cubo das leis imutáveis. Os dois pinos são as varetas polares; os anéis em que elas são enfiadas são as quatro lunações das civilizações da humanidade.

Por exemplo: um mundo desaparece do domínio das realidades, mas deixa aí a razão de ser de outro mundo, que será progressivo ou retrógrado segundo o primeiro era ascendente ou descendente; mas sempre em sentido inverso, de acordo com a lei das polaridades.

Os cinco florões que o espaço existente entre as asas deixa perceber constituem a expressão do nome incomunicável centralizado pela razão de ser das quatro letras do nome de Deus, para exprimir que tudo o que existe no ser exterior existe pelo ser interior; porque no propiciatório todos os números de todas as formas se combinam para multiplicar as existências da vida universal e eterna: é o número da alma.

E esta era a visão que aparecia no meio dos quatro animais.
Um esplendor de fogo que corria e de raios que saíam do fogo.

O duplo movimento da luz em espiral é aqui descrito com as emissões excepcionais que produzem os prodígios e que são representadas pelos caracteres usados nas escrituras de magia sagrada.

Ora, os animais iam e voltavam.

Os céus estrelados rodam sobre si mesmos

com o ruído do raio e o esplendor dos relâmpagos.

Porque o movimento produz a luz e o atritamento circular libera a eletricidade.

E quando eu estava olhando para os animais,

isto é, os quatro pontos cardeais do céu,

apareceu uma roda sobre a terra, correspondendo aos quatro animais.

O PENTÁCULO DOS RAIOS

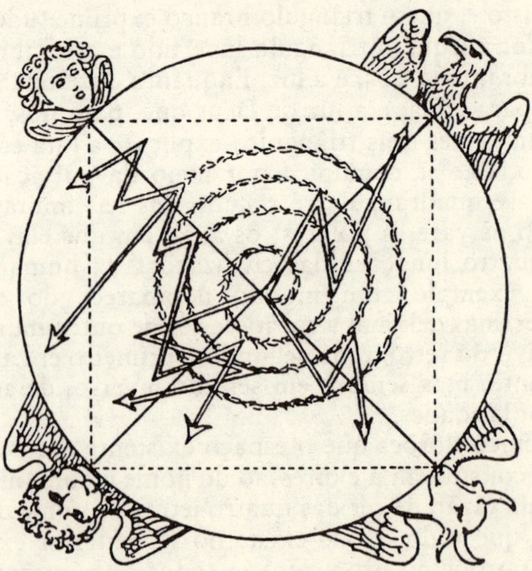

Explicando o movimento dos cometas, as doenças misteriosas, as tempestades e os prodígios.

Compreendi que as quatro medidas da terra são análogas às divisões do céu.

E essa roda tinha quatro faces.

O globo da terra corresponde aos lados paralelos do cubo.

A aparência dessas rodas era como a do mar,

isto é, imensa e estendendo-se para todas as extremidades do globo.

Era como uma roda numa roda.

Primeiros elementos da esfera anular, da eclíptica e do equador,

e elas caminhavam sem jamais voltar atrás.

Circulação e gravitação da terra.

As rodas caminhavam com os animais.

Movimento da terra correspondente às estações.

Quando um dos animais subia, o ponto correspondente da roda subia com ele.

Divisão do céu em Zênite e em Nadir, apogeu e perigeu.

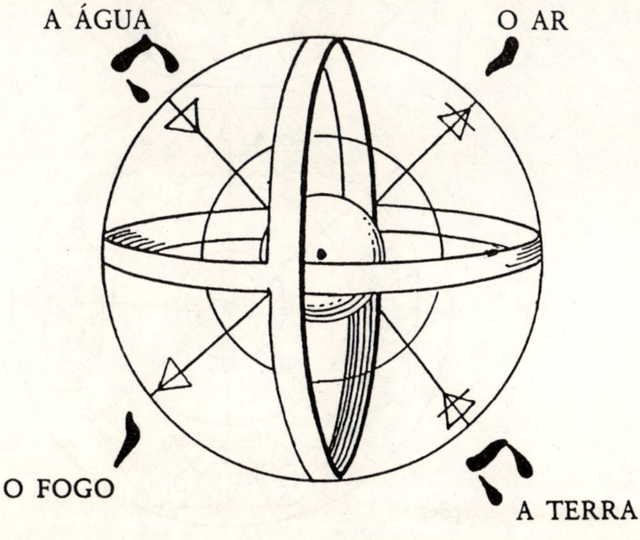

Porque o espírito de vida estava nas rodas.

Correntes da luz universal e vivente.

Quando os animais paravam, fechavam suas asas e paravam quando uma voz se fazia ouvir acima do firmamento.

O verbo de Deus determina a duração dos grandes períodos depois dos quais o universo se renova.

ESFERAS DAS CAUSAS E DAS CRIAÇÕES

Esfera das causas

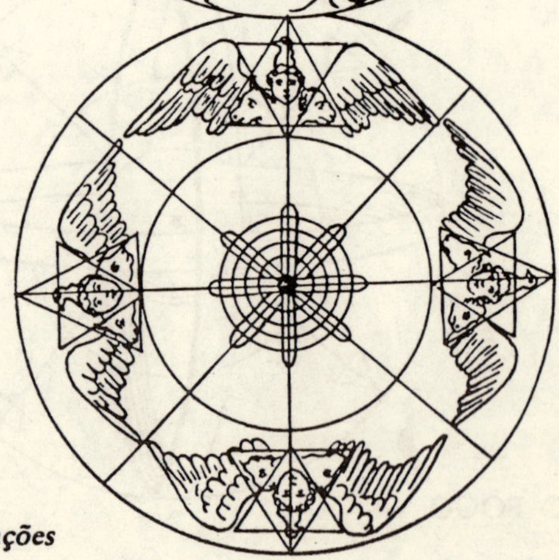

Esfera das criações

Porque sobre o firmamento que se estendia acima de suas cabeças como uma abóbada de safira eu vi a aparência de um trono e sobre o trono a semelhança da forma humana.

Isto é, a figura alegórica de um homem, para nos dar uma idéia relativa da essência infinita e incompreensível de Deus.

E vi como uma aparência elétrica

o fogo, luz universal. O od, o ob e o aour dos cabalistas. O éter equilibrado por sua dupla polarização.

Como um fogo interior que se movia num círculo a partir de seus rins até seus pés e outro círculo acima. O círculo era um esplendor de luz. O círculo inferior era um fogo ardente e ao redor dos dois círculos havia um arco-íris, como os que aparecem nos dias de chuva.

Dois círculos em um, o ternário central e as sete nuanças da luz.

É assim que vi por semelhança a idéia da glória de Deus e caí com o rosto por terra, mas ouvi uma voz que me falava e me disse: Filho do homem, põe-te sobre os teus pés e eu falarei contigo.

O primeiro movimento religioso do homem é o de se prosternar diante das semelhanças e das imagens. É o que caracteriza a inclinação para a idolatria de todos os povos em sua infância. Mas o iniciado se levanta e contempla face a face a imagem alegórica de Deus, e é quando ele sabe manter-se de pé adorando que Deus fala à sua inteligência e à sua razão.

Essa é a magnífica e misteriosa introdução às profecias de Ezequiel contida em seu primeiro capítulo.

O iniciado encontra aí todos os símbolos da alta teologia, já esquecida ou desprezada pelos sacerdotes de sua época. Ele declara, em seguida, que Deus fez dele a sentinela de seu povo; ele deve, sob pena de morte, adverti-los acerca dos perigos que os ameaçam a partir desse momento; todos os atos do profeta serão advertências simbólicas endereçadas ao povo infiel de Jerusalém e a seus pontífices esquecidos de seu dever e da verdade.

Ele traça sobre um tijolo o plano de Jerusalém; ele a representa sitiada, como ela logo o será; entrega-se a jejuns assustadores, que representam a fome à qual serão reduzidos os judeus sitiados; e alimenta-se de um pão grosseiro sujo das mais revoltantes imundícies. Essa maneira de pregar conforme o gênio excessivo e exaltado dos orientais tinha por finalidade ferir-lhes a imaginação e fazê-los compreender quanto o profeta era terrivelmente convencido das coisas que ele lhes anunciava. Do capítulo oitavo até o décimo segundo o profeta descreve a profanação do templo.

Para bem compreender essa profanação é preciso saber que o templo figurava a doutrina de verdade por sua arquitetura e suas disposições, mas que Moisés havia proibido expressamente que nele se esculpissem hieróglifos ou fossem colocadas imagens, como acontecia entre os egípcios que, à força de multiplicar os símbolos da alta teologia, haviam terminado por levar o vulgo a uma idolatria monstruosa. Os ignorantes costumam tomar as comparações como razões e as abstrações do simbolismo por realidades materiais.

O gênio de Israel odiava ferozmente os ídolos, e foi por se afastar dessa tradição nacional que os samaritanos se perderam e que as dez tribos dissidentes se confundiram mais tarde com as nações e não se reencontraram mais ao fim do grande cativeiro.

Os ídolos da Samaria nada mais eram do que imagens hieroglíficas das altas concepções da Cabala; mas como essas imagens eram imitações das existentes no Egito, elas se confundiram mais tarde com os ídolos gregos e romanos e se tornaram alvo da irrisão dos sofistas da decadência.

Eis quais eram essas imagens:

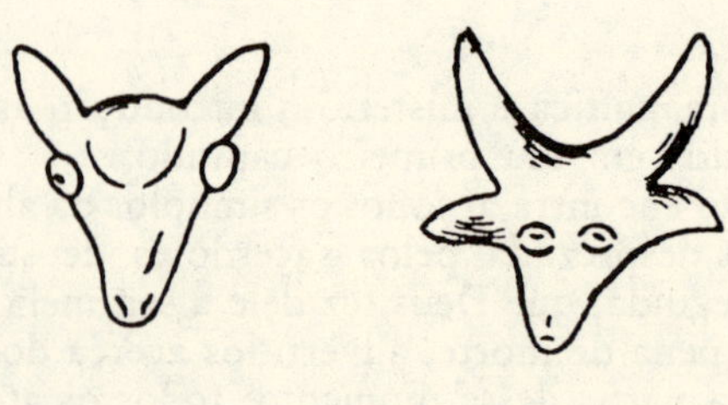

Dessa estrela invertida e decaída
fez-se o chefe dos demônios, Lúcifer.

Rempham ou a estrela flamejante invertida,
de que depois se fez uma cabeça de burro.

Nibbas, o mesmo que Anúbis — A ciência sacerdotal.
A magia negra — O demônio Samaxia ou Belial.

Thartac ou Onochoetites — O Shiva dos hindus.
A fecundidade material — A fé ignorante.
A vida fatal — O diabo Astaroth.

Marcolis — A pedra cúbica — A estabilidade.
A fatalidade — Moloch.

AZIMA

Azima, o mesmo que Mendés ou Beelphegor.
O bode expiatório — O amor físico.

Anamelech, o mesmo que Pégaso.
O verbo de beleza — O rei das analogias.

Nergal — O galo do Sabbath — Abraxas.
A serpente de Marte — O dragão filosofal.

Sucoth Benoth.
A natureza — A galinha preta dos feiticeiros.

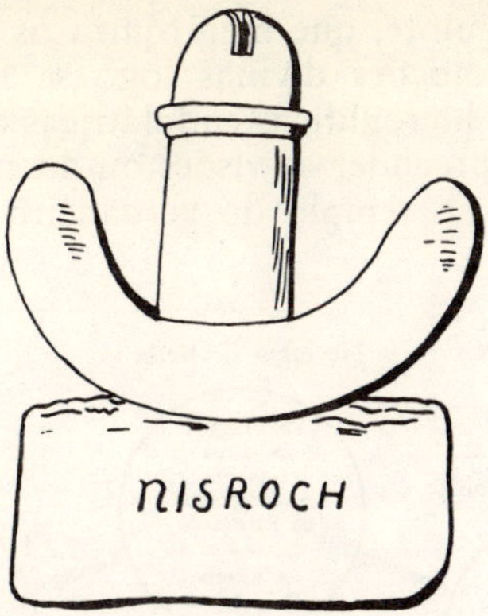

Nisrosh.
O Phallus.

Adramelech.
O pavão.
O mundo orgulhoso.

O quadro seguinte, que hierarquiza os ídolos precedentes, mostra como as noções divinas logo se haviam degradado, revestindo formas hieroglíficas e idolátricas dos cultos impuros: agora vamos compreender as visões ou descrições alegóricas de Ezequiel relativas ao templo do verdadeiro Deus.

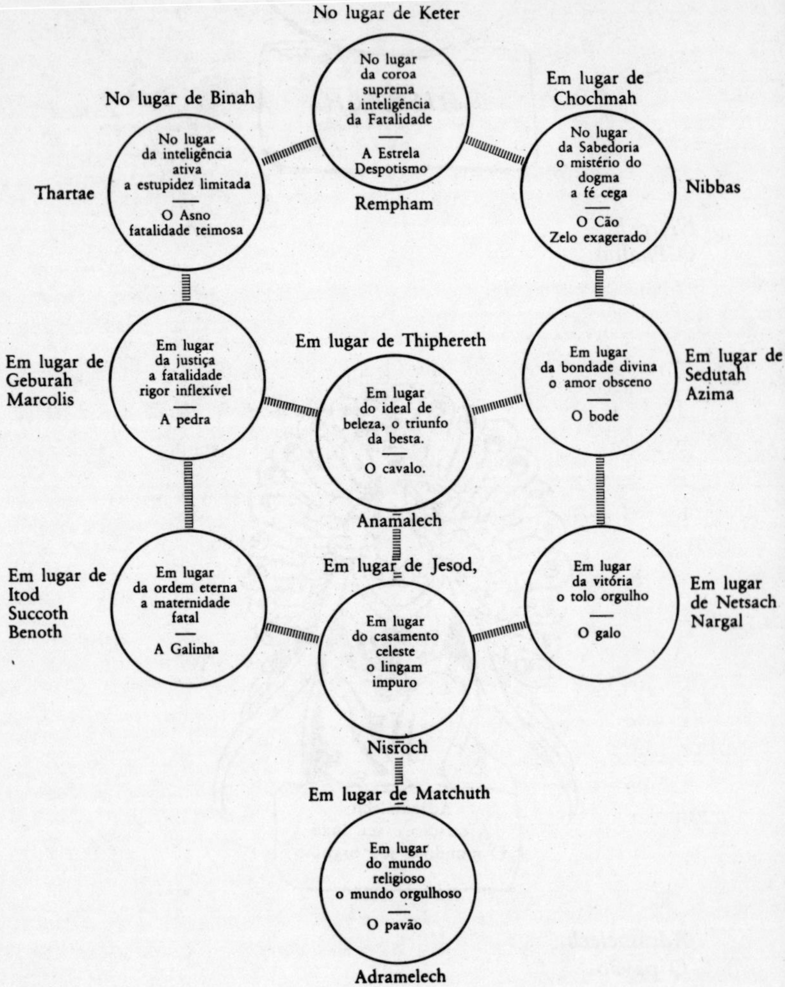

No cap. VIII.

Senti como uma mão,

não uma mão, mas como uma mão, isto é, uma força, uma ação.

Que me pegou pelo alto da cabeça.

Isto é, pelas inspirações mais elevadas.

E o espírito me levantou entre o céu e a terra.

Isto é, no domínio profético das analogias universais.

E na visão de Deus,

Isto é, por uma alta inspiração.

Fui levado a Jerusalém.

Em espírito, como ocorre com os extáticos.

Junto à porta interior que abria para o Norte.

A porta do Norte corresponde à letra Jod.

Lá estava colocado um ídolo capaz de provocar o ciúme.

Toda imagem que substitui o Iod divino é uma infidelidade, um adultério religioso.

E a voz me disse: fura a muralha do templo.

Isto é, olha através dela, como acontece durante o sono extático.

E eu furei a muralha e vi no interior, sobre os muros, imagens de répteis e de animais.

A serpente de bronze e os quatro animais transformados de hieróglifos em ídolos.

E todos os ídolos da casa de Israel pintados em círculos sobre todas as muralhas.

Os deuses impuros de Samaria desenhados em pentáculos e formando falsas figuras cabalísticas.

Depois o profeta vê os anciãos de Israel e os sacerdotes oferecerem incenso a esses ídolos, ele vê no próprio templo mulheres que choram a morte de Adônis. Cheio de indignação e de zelo, faz resplandecer de novo as grandes imagens cabalísticas que lhe haviam aparecido às margens do Chobar.

O décimo capítulo repete os mistérios do primeiro. Ele apresenta de novo à inteligência de seus leitores essa esfinge que é uma em quatro formas, esse problema de Édipo que se repete tantas vezes e de tantos modos nos hieróglifos hieráticos do mundo antigo.

Vamos reproduzir aqui mais algumas dessas imagens.

TALISMÃ DOS ANTIGOS GNÓSTICOS

O espírito que vela: *A dupla serpente — a água.*
A matéria domada ou a vontade dócil: *O cavalo — a terra.*
A força e a ação: *O leão — o fogo.*
A forma instável e passageira: *O galo — o ar.*

SÍMBOLO HERMÉTICO

O fogo central terrestre e aéreo posto em atividade pela água.

ANTIGA MEDALHA GREGA

A águia — o ar:	A inspiração.
O homem — a terra:	O pensamento.
A mulher — a água:	O amor.
O leão — o fogo:	A vida e suas paixões.

SÍMBOLO HERMÉTICO

O mistério do fogo central produzido pela combinação da terra, do ar e da água.

AMULETO BASILIDIANO

O galo — a inteligência.
O cavalo — a imaginação ou a vontade.
O homem — a razão.
O carneiro — os instintos fatais.

As iniciais querem dizer:
L lux.
T terra.
F forma.
C caro.

OUTRO AMULETO
(mais antigo, atribuído aos discípulos de Sócrates).

Aqui a forma é explicada pelo carneiro, signo da geração universal e da primavera.

O galo: luz — inteligência — fogo.
O cavalo: terra — imaginação — vontade.
O carneiro: ar — primavera — forma.
O homem: a carne — o sangue — a água.

As imagens simbólicas eram familiares aos iniciados, mas umas são puras, outras impuras. Isto é: umas representam o reino do espírito sobre a matéria e fazem dominar a figura humana no meio das formas animais; enquanto outras não exprimem nada mais que o império da fatalidade e subordinam a face humana aos hieróglifos dos instintos.

Por isso Ezequiel repreende os falsos profetas e hierofantes indignos por terem pervertido e corrompido a verdade.

A cidade santa, depositária das tradições do ocultismo, é por ele comparada a uma prostituta corrompida pelo exemplo de sua irmã. Jerusalém quis imitar a Samaria.

O simbolismo profano encheu de ídolos e de figuras monstruosas o santuário do verdadeiro Deus. Por isso ele é comparado a uma vinha estéril, que será arrancada e lançada ao fogo.

As desordens de Jerusalém e de Samaria, figuradas por duas mulheres, são narradas pelo profeta com uma energia que causa espanto ao pudor. A idolatria obscena do falo é descrita em toda a sua nudez. Oolla e Ooliba prostituem-se a quem vier e procuram com ganância os membros monstruosos e os contatos bestiais.

Os capítulos XVI e XVII da profecia estão cheios dessas admoestações e ameaças, repetidas e confirmadas no capítulo XXIII. Os nomes de Oolla e de Ooliba dados às duas cidades prevaricadoras significam tenda ou tabernáculo. Uma sem pronome, a outra com o pronome possessivo, que indica a existência, nela, do tabernáculo do Senhor. Ezequiel pronuncia maldições contra os cinco reis prevaricadores e infiéis que corromperam e dominaram Israel. São as vozes:

De Babilônia: O orgulho.
De Tiro: A cobiça.
De Ammon: A idolatria.
Do Egito: A servidão.
De Seir ou da Iduméia: O aviltamento.

Essas maldições, somadas às que ele pronunciou contra Jerusalém e Samaria, formam sete partes distintas em sua profecia; nós veremos sua correspondência no Apocalipse de São João quando explicarmos os sete selos, as sete trombetas, os sete cálices e as sete cabeças da besta.

Depois de ter proferido essa palavra que parece devastar a terra, Ezequiel vê o mundo como uma planície imensa e circular, coberta de ossadas embranquecidas. Aqui ele vai revelar o grande mistério da morte. As cinzas humanas são a semente da vida. As quatro forças elementares sopram sobre essa poeira e dela fazem nascer novos homens. Assim, o que perece são apenas as formas usadas e a Humanidade vai-se rejuvenescendo sempre, sob novas vestes, formadas dos despojos da morte.

O PENTÁCULO DA RESSURREIÇÃO

Quadro da vida e da morte.
A morte reproduzindo a vida.

O PARTO DA MORTE

IMAGEM MUITAS VEZES REPRODUZIDA
NOS HIERÓGLIFOS SAGRADOS.

SÍMBOLO MAÇÔNICO

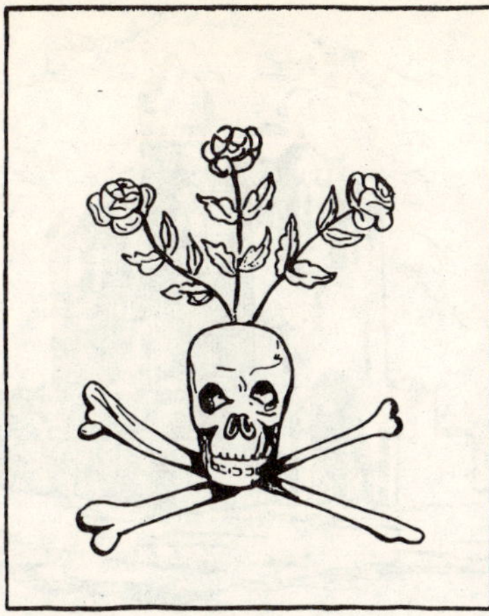

A morte gerando a vida.

Como a vida nasce da morte, assim, de acordo com o profeta, um novo templo renascerá das ruínas do antigo templo profanado e entregue à destruição pelos crimes dos maus sacerdotes.

Dissemos que o templo de Salomão representava a teologia cabalística ou tradicional dos hebreus.

O TEMPLO DE SALOMÃO

Tal como está representado nos antigos siclos de Israel.

O EDIFÍCIO DO TEMPLO

De acordo com a Bíblia e o Talmud.

PLANO GERAL DO TEMPLO E DE SUAS MURALHAS

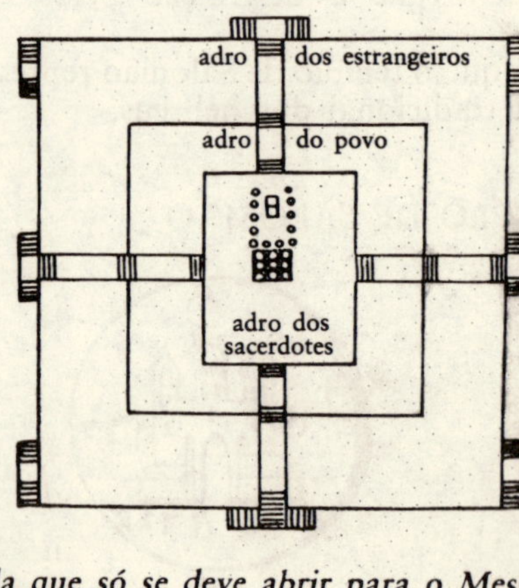

Porta fechada que só se deve abrir para o Messias.
Plano do templo, de acordo com Flavius Josepho e o Talmud.

VISTA GERAL DO TEMPLO

O templo com suas galerias e suas muralhas, de acordo com todos os monumentos antigos.

Até as medidas eram simbólicas e se relacionavam com os números sagrados. Assim, vemos por toda parte o ternário misterioso; a figura do edifício em seu todo era quadrada ou piramidal. Tinha três partes quadradas e superpostas, sete portas, como na antiga Tebas, e uma oitava porta, a porta sagrada. Era a que só deveria se abrir para o Messias.

Havia, diante da porta principal, duas colunas revestidas de bronze, representando as duas árvores misteriosas do paraíso terrestre. Uma chamava-se Iakin, outra Bohas; isto é, a fraqueza sustentada pela fé e a força que possui.

Cada coluna tinha vinte e dois côvados de altura.

Os vinte e dois números e as vinte e duas letras. As colunas representavam a afirmação e a negação, o espírito e a matéria, a causa e o efeito, a idéia e a forma, o homem e a mulher, os Eloim contrários e análogos um ao outro.

Elas eram mais largas embaixo e iam-se estreitando no alto.

Como as pirâmides e como o triângulo sagrado.

A base tinha doze côvados de circunferência.

Doze é a medida do ciclo anual, é o número da criação e da realização. É quatro multiplicado por três; o triângulo pelo quadrado.

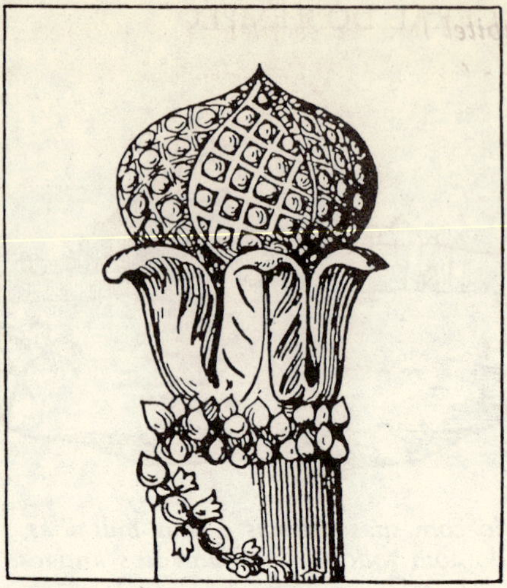

A romã e o capitel.

O fuste media dezoito côvados de altura.

O número do dogma e do mistério. Dez, o número do sephiroth, isto é, de toda a ciência; oito, o número da parte distributiva.

O capitel em forma de lírio tinha um côvado.

O lírio branco representa a luz, que é como a flor do dogma e a realização dos símbolos.

Sobre elas havia uma romã formada por quatrocentas pequenas romãs como que em rede.

Signo da corrente e da harmonia dos seres que se resumem na unidade, como os grãos da romã num único fruto, como as quatrocentas romãs numa só.

Uma guirlanda de romãs subia desde a base até o capitel, dando nove voltas.

As formas universais sobem e descem em espirais ao redor da unidade, figurada pelas duas colunas.

O número nove representa o ternário concebido e reproduzido nos três mundos. Tudo se mantém e tudo se encadeia no universo como uma guirlanda.

Sob o capitel havia três fileiras de romãs.

Ainda uma figura do divino ternário. Antes de se resumir na unidade, os números se agrupam em três categorias. Trata-se dos termos da equação suprema; é a harmonia hierárquica revelada nas formas, nas idéias e nas mais altas aspirações da alma. Depois dessa tríplice série da síntese universal floresce o lírio sagrado, a unidade luminosa, o esplendor da poesia universal. Acima dessa flor está a romã das romãs, a síntese das sínteses, o fruto divino da ciência.

Havia também ali, no adro do templo, uma imensa tina redonda e semicircular representando o mar que cobre a metade do globo. Essa tina, chamada mar de bronze, era sustentada por doze touros de bronze dispostos três a três e em cruz, na direção dos quatro pontos cardeais; os touros figuravam a terra durante os doze meses do ano e a lavoura eterna do tempo que caminha em círculo e que dá a forma redonda à extensão flutuante das águas.

Esse mar de bronze era o reservatório das águas necessárias aos sacerdotes e aos sacrifícios.

Havia ali, ainda, dez tinas menores destinadas às purificações legais. Sobre essas tinas, ou antes, debaixo delas, estavam reproduzidas as figuras dos quatro animais misteriosos. As tinas estavam dispostas em grupos de cinco diante da porta do templo e representavam os dez conhecimentos sephiróticos, que servem de preâmbulo a todo estudo da alta Cabala.

O MAR DE BRONZE

Tina colossal que servia de reservatório para o templo.

Todas essas figuras simbólicas dos grandes mistérios da ciência haviam sido dispostas e executadas sob a direção de Hiram.

Os modernos maçons ainda choram a morte desse arquiteto do templo, para dar-nos a compreender que a sublime teologia de Salomão caiu no esquecimento e que o espírito de anarquia dos trabalhadores subalternos matou o gênio de Hiram.

O signo hieroglífico da cruz, símbolo do nome que resume todos os nomes, imagem dos quatro pontos cardeais e da quadratura do círculo, esse signo, dizíamos, resume e representa toda a filosofia e toda a teologia da Cabala. Por isso Ezequiel vê um anjo que traça esse signo na fronte dos eleitos ou na inteligência dos sacerdotes e das doutrinas. E todos aqueles que não ostentarem a marca do Thau devem perecer, como perecem todas as doutrinas que não são estabelecidas sobre as bases da verdade eterna.

É de acordo com essa figura do Thau sagrado que o profeta desenha o plano do templo do futuro.

Os cinco últimos capítulos de seu livro são consagrados à sua descrição. O templo é a imagem do universo; ele corresponde ao pentáculo dos animais e das rodas.

Por isso o profeta diz que a glória do Senhor, tal como ele havia visto às margens do Chobar, lhe aparece ainda uma vez e lhe serve de modelo para traçar o plano do novo templo.

O THAU NO HEBRAICO MODERNO

Reunião das 4 letras do Schema.

O THAU HIERÁTICO

Tal como é encontrado nos antigos siclos de Israel.

O THAU EXOTÉRICO

Tal como é encontrado nos antigos siclos de Israel.

O THAU SAGRADO E O THAU VULGAR

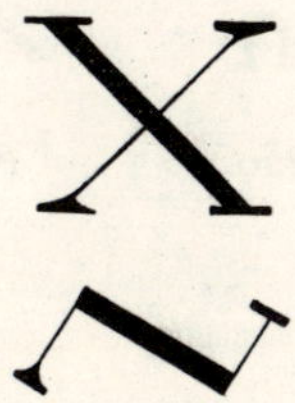

De acordo com o Rabi Azarias.

O THAU VULGAR NO HEBRAICO PRIMITIVO

De acordo com os manuscritos da Biblioteca do Vaticano.

Egípcio

Copta

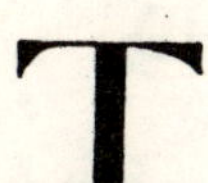

Grego

Etrusco *Hieroglífico* *Hindu*

Mágico *Cristão* *Primitivo*

A CRUZ FILOSÓFICA

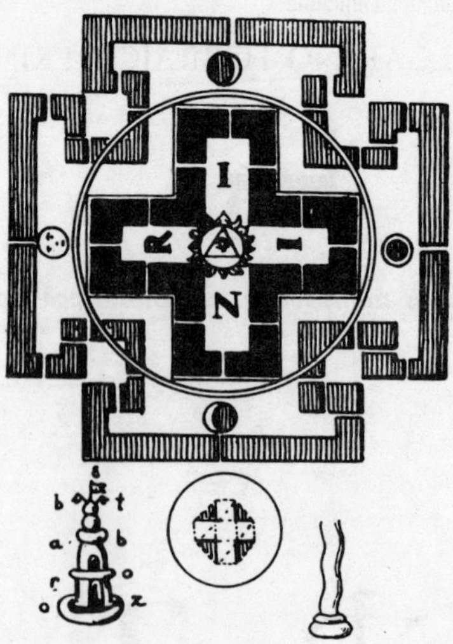

ou
O PLANO DO TEMPLO
DE ACORDO COM EZEQUIEL

Ezequiel quer que o templo seja o protótipo do universo governado pela teocracia reinante sobre a terra santa.

Ele quer que a Judéia seja dividida como o templo e que o mundo seja feito à imagem da Judéia.

Isto é, ele anuncia o advento de uma hierarquia da inteligência e da verdade, que reunirá num só todos os reinos da terra.

O templo é feito à imagem do tetragrama divino e tem apenas uma muralha que forma várias muralhas, sempre pelas combinações de quatro.

A forma exterior da muralha é um quadrado de ângulos reentrantes; sua forma interior é circular.

Há quatro portas e quatro fachadas. Cada fachada contém três grandes salas e forma três corpos de edifícios reunidos, doze ao todo, segundo o número dos meses do ano e das tribos de Israel. O templo está rodeado por um fosso no qual correm quatro fontes, uma sob cada porta, lembrança dos quatro rios que banhavam o paraíso terrestre.

Capítulo XL, 18-25:

E o pavimento de frente ou diante das portas era largo embaixo como as portas o eram no alto.

E o anjo mediu a largura da porta e ela tinha cem côvados desde um lado das lajes até o outro...

E suas câmaras, três de um lado e três de outro, e seu frontispício e seu vestíbulo, cada porta de acordo com a medida da porta correspondente.

E as janelas e os vestíbulos ao redor, como todas as outras janelas, tinham cinqüenta côvados de comprimento e vinte e cinco côvados de largura.

As medidas são análogas e correspondentes, de todos os lados por vinte e cinco, cinqüenta e cem côvados.

Encontram-se entre essas medidas cabalísticas coisas que não são realizáveis em arquitetura, mas trata-se de um símbolo e não de um edifício. O edifício, ao mesmo tempo religioso, científico e social, é o edifício da grande unidade racional da verdade, da realidade, da razão e da justiça, conformes ao ser eterno e regidos pelo grande Arquiteto do universo. O plano magnífico, sempre negado pelas paixões humanas, foi conservado nas sociedades secretas dos iniciados na alta Cabala e se encontra, ainda em nossos dias, entre os símbolos da franco-maçonaria, que recebeu esse emblema dos joanitas e dos templários. Seu nome é cruz filosófica e damos dele, aqui, uma figura exata.

Já vimos que o primeiro triângulo, o de Salomão, representava um triângulo com a ponta para cima.

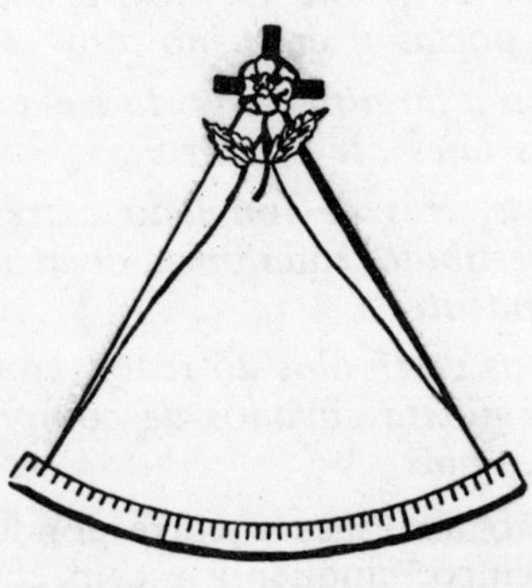

Símbolo que corresponde ao do compasso maçônico, imagem da Providência cujas leis são exatas como os números e precisas como a geometria.

Nova forma de insígnia maçônica
análoga ao célebre
pentáculo conhecido sob o nome de Selo de Salomão.
A insígnia de mestre na alta maçonaria.

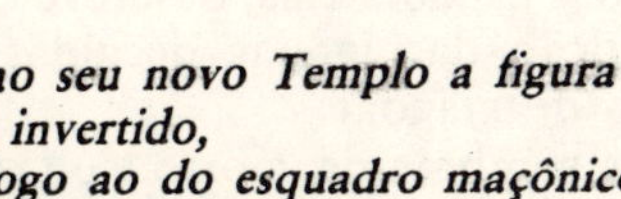

Ezequiel dá ao seu novo Templo a figura de
um triângulo invertido,
símbolo análogo ao do esquadro maçônico,
imagem da ciência verdadeira
que corresponde em todos os pontos com exatidão
divina.
De modo que a forma hieroglífica
do antigo templo está unida à forma do templo...

A entrada do templo de Ezequiel de acordo com os documentos maçônicos.

A profecia de Ezequiel é a obra de um reformador; é o que hoje chamaríamos de poema palingenésico.

O autor primeiro revela os mistérios da criação, descreve as forças equilibradas da natureza e depois desenvolve a teoria cabalística do ideal divino, concebido à imagem e à semelhança dos mistérios da natureza.

A física, a metafísica e a religião do profeta são calcadas uma sobre a outra e formam uma unidade magnífica de luz. As formas de animais estrelados, as rodas que giram umas sobre as outras, as esferas de esplendor equilibradas pelas esferas de fogo: tudo isso caminha e pára ao mesmo tempo, tudo isso é de uma profundidade capaz de causar vertigem.

O profeta maldiz, depois, sete vezes as prevaricações da terra, e descreve o materialismo em que caiu a religião oficial; ele protesta contra todas as idolatrias, descreve com uma espantosa energia a prostituição das igrejas decaídas e depois consola aqueles que acaba de magoar.

No fundo das sombras da morte ele faz despontar a nova fagulha da vida; faz do mundo inteiro um grande túmulo, que se transformará no berço de um novo povo.

O verbo se faz ouvir: o sopro de vida desce dos quatro cantos do céu e uma messe humana cresce, fremente de alegria, abrindo os olhos à eterna claridade.

Agora que os exterminadores se apressam, porque é preciso preparar a terra, o antigo santuário está cheio de ídolos e causa espanto a si próprio: eis que chegam os niveladores da Assíria; o templo desmorona, mas o gênio do futuro já desenrolou no céu todo o plano do novo templo. Glória a Deus nas Alturas do céu e paz na terra aos homens de boa vontade.

É pela profecia de Ezequiel que a alta teologia dos hebreus se liga ao cristianismo. Ela serviu de base e de modelo ao Apocalipse de São João que, sob os emblemas da Cabala, oculta os mais profundos segredos da teologia cristã.

São João não nos narrará, como Ezequiel, os mistérios da criação; o que ele nos apresenta, em primeiro lugar, é o homem perfeito, o homem de luz, o verbo feito carne, o criador do mundo moral.

É o verbo da verdade que lhe dará a inteligência do céu cabalístico de Ezequiel. Ele seguirá depois, passo a passo, o profeta de Chobar; após ter mostrado as sete luzes dos números sagrados, que são as sete virtudes cristãs, ele fará guerra aos sete números, que são os sete pecados capitais figurados pelos sete selos do livro e pelas sete cabeças da besta.

Ele fará ouvir sete trombetas proclamando o triunfo da verdade, verá derramar-se sobre a terra os sete cálices medicinais, que devem curar as doenças do velho mundo; depois, vê surgir o sol e a lua do novo céu e da nova terra, o homem e a sociedade, Jesus Cristo e sua Igreja, o anjo solar e a mulher que tem a lua sob seus pés. Contra essa mulher desencadeia-se a besta de sete cabeças, o pecado com seus instintos ferozes, e a besta parece triunfar por um tempo.

São João vê a sociedade perversa sob a figura de uma prostituta sentada sobre a besta e ornada de muitos diademas.

Mas logo o verbo da verdade triunfa; uma voz se faz ouvir e clama:

Caiu a grande Babilônia. A corruptora das nações!

São João pinta o quadro terrível do último cataclisma social; depois, mostra-nos a nova Jerusalém que desce do céu sobre a terra a fim de que a vontade de Deus seja feita sobre a terra como no céu.

A descrição dessa nova Jerusalém é análoga à descrição do templo de Ezequiel. É o pentáculo da verdade absoluta e universal. É a chave das ciências e da religião, a síntese hieroglífica de todas as conquistas do gênio humano.

SEGUNDA PARTE

In
principio
erat
Verbum
et
Verbum
erat....

O APOCALIPSE OU A REVELAÇÃO DE SÃO JOÃO

PREFÁCIO DO APÓSTOLO

Esta é a revelação de Jesus Cristo.
Que Deus lhe deu para ser revelada a seus servos.
O que logo deve acontecer,
O que foi mostrado por signos e símbolos,
As comunicações do anjo a João, servo de Deus.
Que é testemunha da palavra (ou que é o mártir do verbo), testemunha do martírio de Jesus Cristo, e que conta o que ele viu, o que ele compreendeu.
Feliz aquele que lê e que compreende as palavras desta profecia e guarda em seu coração as coisas que aí estão anunciadas.
Pois o tempo caminha rapidamente e está próximo.

Primeira figura

AS SETE IGREJAS OU AS SETE IDADES

CAPÍTULO PRIMEIRO

João às sete Igrejas que estão na Ásia, que a graça e a paz estejam sobre vós em nome daquele que é, que era e que deve vir.

O nome João significa piedoso, gracioso, misericordioso.

É o nome que convém ao apóstolo da caridade.

As sete Igrejas da Ásia representam os sete estados sucessivos da Igreja universal.[1]

E pelos sete espíritos que estão diante do trono.

Os sete espíritos são a inteligência do setenário.

A essência divina está fora de todo número e de toda forma; ela é Aquele que é, que era e que deve ser.

Mas nós podemos no-la representar como a unidade diretriz das forças, o princípio do equilíbrio, o que é figurado pelo triângulo.

O equilíbrio em si mesmo é igual a si mesmo.

A altura é igual à profundidade. A largura da direita igual à largura da esquerda.

Essas proporções são figuradas pela cruz e pelo quadrado, cujo número é quatro.

1. A Ásia significa o Oriente, isto é, a origem, o mundo das causas (No princípio era o verbo); assim, é lá que está o pensamento de Deus e dos justos, pois no princípio existem os sete Elohim, ou as sete forças dos gênios da criação (Ele, os deuses) que o próprio Deus criou três vezes *(Nota de J. C.)*.

Três e quatro dão sete.
Três multiplicado por quatro dão doze.[1]

E por Jesus Cristo, o testemunho fiel.
O primeiro nascido dentre os mortos e o príncipe dos reis da terra.

Porque ele foi o primeiro a entrar no renascimento eterno por um sacrifício absoluto.[2]

Que nos amou e nos lavou em seu sangue e nos fez reis e sacerdotes de Deus, seu pai.

O homem perfeito, o iniciado na verdadeira ciência, é sacerdote e rei sobre a terra.

A quem sejam dados glória e poder nos séculos dos séculos.

A força divina será eternamente equilibrada pela justiça, e a misericórdia pela força e pelo amor, que se resumem numa só palavra: a Caridade.

Eis que ele vem com nuvens.

Eis a doutrina ainda envolta pelas sombras do simbolismo.

E todo olho o verá, mesmo aqueles que o crucificaram.

Mais tarde os próprios judeus o compreenderão.

E ele será pranteado por todas as raças da terra, sim. Amém.
Eu sou Alpha e Omega, diz o senhor Deus, que era, que é e que será יהיה *o todo-poderoso.*

1. O trono de Deus ou do inominável que é três vezes.
Ele próprio é o cubo de suas leis imutáveis onde impera a Trindade Santíssima que é Ele mesmo, de onde ele se manifesta aos corações, depois por três vezes quatro para fundar seu Dogma universal, eternamente *(Nota de J. C.).*

2. Ora, יהשוה é eterno; ele nasceu antes de nascer, porque o ש no centro do nome de Jesus exprime a inteligência soberana do equilíbrio universal, que dá testemunho da sabedoria de Deus antes de todo testemunho na substância universal em que tudo é analogia e harmonia pelas leis dos contrários.

Esse testemunho inviolavelmente fiel, que tudo equilibra pelo sublime sacrifício, que dá nova vida aos mortos, inspirando o Espírito do puro amor aos homens de boa vontade que estão no meio dos mortos, isto é, dos egoístas, mortos pelo coração, e das religiões ou das doutrinas mortas pela superstição fanática e pela tendência para materializar tudo o que é apenas espírito e vida.

O lugar do renascimento eterno simbolizado pela letra resh é o ponto em que uma civilização termina enquanto uma outra civilização começa sobre as cinzas da anterior; mas que só pode renovar-se pelo sacrifício absoluto (Nota do Barão Spedalieri).

O PRIMEIRO SELO
O SELO DE SÃO JOÃO

Eu, João, vosso irmão e vosso companheiro de dor e de realeza, fui martirizado na ilha chamada Pathmos, por causa do Verbo e por ter dado testemunho a Jesus Cristo.

Eu fui arrebatado em espírito um dia de domingo e ouvi por detrás de mim uma grande voz como de trombeta, que dizia:

Escreve num livro o que vês e envia-o às sete Igrejas que estão na Ásia.

a Éfeso:	A Igreja da primeira idade.
a Smyrna:	A Igreja da segunda idade.
a Pérgamo:	A Igreja da terceira idade.
a Thiatyra:	A Igreja da quarta idade.
a Sardes:	A Igreja da quinta idade.
a Philadelphia:	A Igreja da sexta idade.
a Laodicéia:	A Igreja da sétima idade.

As sete idades correspondem aos sete anjos, aos sete candelabros, às sete estrelas, aos sete selos, aos sete cálices, às sete trombetas e às sete cabeças da besta.

Cada idade compreende três séculos e meio, um tempo, dois tempos, e a metade de um tempo.

A manifestação do evangelho deve, portanto, durar vinte e quatro séculos e meio. O número dos vinte e quatro anciãos e uma fração.

Dois dias e meio, contando mil anos por um dia.

O terceiro dia será o da ressurreição.

E voltei-me então para ver a voz que me falava.

A palavra do simbolismo tem um sentido misterioso e secreto; é preciso voltar-se para vê-lo.

E vi sete candelabros de ouro.

O ouro é o metal mais perfeito; ele corresponde, no simbolismo, à luz e à verdade.

Sete é o número sagrado que explicamos mais acima.

E no meio dos candelabros a semelhança do Filho do homem.

O homem é o resumo da criação e sua figura é tomada aqui como um resumo da luz.

Vestido de uma longa veste e cingido com uma cinta de ouro abaixo dos mamilos.

A veste que o cobre é o simbolismo, cuja exatidão é figurada pela cinta de ouro.

E sua cabeça e seus cabelos estavam brancos como a lã branca e como a neve.

O branco é a cor da luz; os cabelos são como os raios do pensamento.

E seus olhos eram como chamas.

Os olhos são como que os dirigentes da vida e do calor.

Os pés eram como de bronze purificado na fornalha ardente.

O progresso, que purifica a doutrina sobre a terra.

E sua voz igualava o estrondo das grandes águas.

O verbo da verdade forma a opinião das multidões.

As grandes correntes da opinião reformam as crenças.

Ele tinha na sua direita sete estrelas.

Os sete planetas do céu cabalístico.

E de sua boca saía uma espada de dois gumes.

A palavra simbólica, que sempre tem dois sentidos.

E seu rosto era como o sol quando brilha em toda a sua força.

O rosto é o resumo da pessoa e representa aqui a síntese da verdade.

O SEGUNDO SELO

Segunda figura

O Céu e o livro.

OS SETE SELOS

CAPÍTULO IV

Um trono estava erguido no céu, e havia alguém sentado sobre o trono.

E aquele que estava assentado no trono tinha a aparência de uma pedra de jaspe e de sardônio.

A figura humana desapareceu do céu desde que o verbo encarnado veio para a terra. Assim, o que os judeus tomam por uma idolatria nada mais é do que uma transformação dos símbolos.

Um arco-íris estava ao redor do trono como um cinto de esmeraldas.

O verde domina no arco-íris cristão porque é a aliança de duas leis e de duas cores.

O TERCEIRO SELO
O CÉU ABERTO

Os quatro animais, a pedra de jaspe, os 24 anciãos, etc.

Ao redor do trono estavam outros vinte e quatro tronos, e sobre esses tronos vinte e quatro anciãos.

Os doze patriarcas e os doze apóstolos, os vinte e quatro pontos que compõem o nome cabalístico de Jehovah.

Schema hamphorash ou análise do nome divino.

E no meio do trono e ao redor do trono quatro animais estrelados.

Todas as forças são duplas; elas se resumem no centro do mundo e seus raios se dirigem aos quatro pontos cardeais.

Os animais-estrelas que figuram essas forças são as constelações do aquário e da águia, do leão e do touro, que dividem o zodíaco em quatro regiões.

Depois vi na mão direita daquele que estava sentado um livro fechado com sete selos.

O livro estava escrito dentro e fora.

A sagrada escritura tem um duplo sentido: um sentido esotérico e um sentido exotérico. Um sentido interior e um sentido exterior.

E ninguém conseguia abrir o livro nem mesmo vê-lo.

Os segredos da divina Cabala estavam perdidos e o sentido misterioso das escrituras era oculto ao sacerdote assim como ao povo.

O LIVRO DA VERDADE

com seus sete selos.

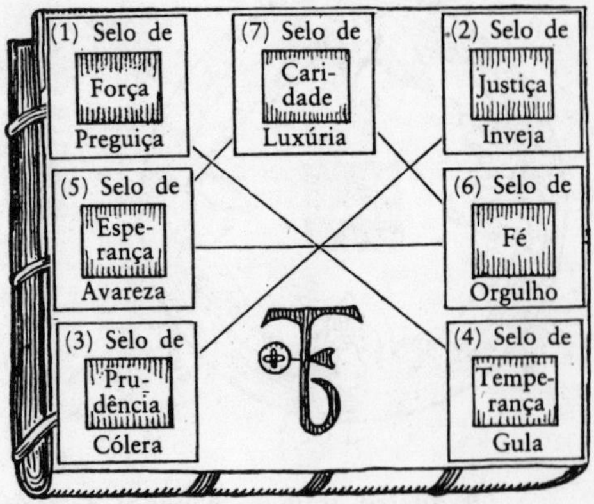

E ele veio e pegou o leão.

O Cristo, realizando a lei, torna-se o senhor da lei. Ele destrói os vícios e as ignorâncias, que fecham o livro, e abre-lhe sucessivamente os sete selos.

E à abertura do primeiro selo o primeiro animal me disse: vem e vê:

E saiu um cavalo branco e aquele que estava montado sobre ele tinha um arco e uma coroa de ouro.

Ele tira a humanidade do torpor, revelando-lhe a força moral e ele aparece como rei e conquistador.

À abertura do segundo selo o segundo animal me disse: vem e vê.

E saiu um cavalo vermelho cujo cavaleiro estava armado de uma grande espada.

A justiça aparece no mundo; a inveja lhe faz guerra; preparam-se grandes revoluções; eis as invasões de Átila.

Então um dos anciãos me diz: "Não chore!"

Aquele que estava junto do leão simbólico.

"Eis o leão de Judá."

Isto é, eis a força da família real de Israel.

E vi no centro do céu um cordeiro:

A força divina, sob o reino do evangelho, manifesta-se pela mansidão e pela candura.

E ele estava como que sacrificado.

O salvador sacrifica-se por todos e abole os sacrifícios sangrentos pelo sangue de seu próprio sacrifício.

Ele tinha sete cornos e sete olhos que são os sete espíritos.

Sete cornos, isto é, a força de todas as virtudes; sete olhos, isto é, o esplendor das sete luzes.

À abertura do terceiro selo, o terceiro animal me disse: vem e vê.

E saiu um cavalo negro e aquele que o montava tinha uma balança.

À abertura do quarto selo, o quarto animal me disse: vem e vê:

E saiu um cavalo amarelo.

E aquele que o montava chamava-se morte e o inferno o seguia.

As orgias do velho mundo provocaram a fome.

A temperança remedeia esse flagelo. O vinho e o óleo são respeitados, isto é, resta um remédio para as feridas na religião que consola.

Depois os heróis cristãos triunfam, pela doçura, sobre a cólera e a morte.

A morte e o inferno são os derradeiros inimigos, que são vencidos pelo poder do Salvador.

O QUARTO SELO

E quando o cordeiro abriu o quinto selo, vi sob o altar as almas daqueles que haviam sido mortos pela palavra e pela manutenção do testemunho.

Revela-se, aqui, a solidariedade das almas. Os justos não podem entrar em seu repouso senão quando a justiça for cumprida.

Os santos só serão consolados e felizes quando seus irmãos da terra forem felizes.

E eles gritavam com uma grande voz dizendo:

Até quando, Senhor santo e verdadeiro, deixarás de fazer justiça a nosso sangue derramado pelos habitantes da terra?

AS DORES DO CÉU
AS ALMAS DOS MÁRTIRES

E lhes foi dada, a cada um, uma veste branca.

Os justos sofrem conosco; mas eles têm o penhor de sua inocência e a certeza do triunfo da justiça.

E lhes foi dito para esperar um pouco ainda até o cumprimento do martírio de seus irmãos, que devem ser decapitados como eles.

Depois da luta da consciência livre contra a perseguição, virá a da dignidade humana contra o despotismo, da ordem contra a anarquia. Enquanto o cristianismo não se completar sobre a terra, os mártires esperam e não podem gozar em paz a felicidade do céu.

E quando ele abriu o sexto selo.
Eis:
Fez-se um grande tremor de terra e o sol se tornou negro como um saco de silício.

O selo do orgulho foi quebrado, a fé se revela, o céu muda de aspecto, as antigas luzes se escurecem.

E a lua cor de sangue.

O sangue dos mártires cobriu de ignomínia o antigo simbolismo. A religião do mundo antigo foi corrompida pela crueldade dos carrascos.

E as estrelas caíram do céu sobre a terra.
Como a figueira, quando agitada, deixa cair seus figos.

O SEXTO SELO

O SOL NEGRO, A LUA SANGRENTA
E AS ESTRELAS QUE CAEM

Os deuses se afastam, as imagens com que os antigos povoavam o céu se desprendem.

A árvore das crenças é agitada e os frutos apodrecidos caem por terra.

E o céu se fechou como um livro que se enrola.

O livro da natureza se fecha por um tempo; vagos terrores se espalham; parece que o mundo vai acabar.

E os reis se esconderam dizendo às montanhas: cai sobre nós e poupai-nos do furor daquele que está sentado sobre o trono do cordeiro.

Em seguida, São João vê nos quatro pontos cardeais do céu quatro anjos que agrilhoam os quatro ventos. Isto é, o símbolo do quaternário que domina as correntes da vida. Depois, na direção do Oriente, aparece um anjo carregando o selo divino: é o Tau de Ezequiel, é a cruz do templo e do lábaro, com que é marcada a fronte de todos os eleitos figurados pelas doze tribos de Israel. Doze mil de cada tribo estão marcados com esse signo, que é como o batismo da iniciação e a unção da verdade. Esses são os apóstolos do mundo; depois deles vem uma inumerável multidão de todas as nações; o céu se abre para toda a humanidade, purificada pelas grandes provações. A miséria é vencida, a caridade triunfa, a caridade universal quebrou todas as cadeias e derrubou todas as muralhas, todos estão vestidos de branco, a cor da unidade, da luz e da pureza; a salvação do mundo foi consumada.

E quando o sétimo selo foi aberto fez-se silêncio no céu.

O SÉTIMO SELO
A CONSUMAÇÃO

SILÊNCIO
NO
CÉU

Deus repousa depois de ter criado a humanidade pela segunda vez.

A LUA ENTRE OS SETE PLANETAS

De acordo com uma moeda da Imperatriz Faustina.

A PRIMEIRA TROMBETA
O ANJO MIGUEL

☉ Domingo

CAPÍTULO VIII

E vejo os sete anjos que assistem diante de Deus.

Isto é, as sete potências inteligentes que representam os números sagrados três e quatro de que se compõe o divino setenário.

Aos quais foram dadas sete trombetas.

Isto é, cada potência deve ter sua estrondosa manifestação.

E o primeiro anjo, Miguel, o anjo da verdade, *soou a trombeta,* manifestou a palavra evangélica, *e um granizo de pedra e de fogo misturados caiu sobre a terra.*

Tempestades são provocadas, o frio e o calor se unem para combater a harmonia e caem vencidos por seus esforços.

E a terça parte da terra foi queimada.

Quando uma forma é destruída, duas outras sempre subsistem.

E a terça parte das árvores.

Aqueles que não sabem resistir ao calor e ao frio.

E toda erva verde.

O que perece por inteiro é a erva, que se renova sempre.

A SEGUNDA TROMBETA
O ANJO GABRIEL

☾ Segunda-feira

E o segundo anjo, Gabriel, príncipe dos mistérios, *soou a trombeta*, anunciando o novo dogma, *e algo como uma grande montanha ardente foi lançado ao mar.*

O dogma é ao mesmo tempo para as nações um escudo e um farol.

E a terça parte do mar se tornou em sangue.

O fanatismo é excitado; o sangue, derramado. O dos mártires e o dos grandes sacrifícios.

E a terça parte das criaturas que vivem no mar pereceu.

O mar representa as opiniões flutuantes e tempestuosas dos povos; os peixes do mar são as idéias e as instituições que se formam e que vivem da opinião. Essas idéias e essas instituições morrem.

E a terça parte dos navios pereceu.

Os navios são as civilizações e os povos; quando duas civilizações estão em conflito, uma das duas perece, mas o equilíbrio é restabelecido pela lei universal do ternário e restam sempre dois para se equilibrar de novo.

A TERCEIRA TROMBETA
O ANJO RAFAEL

☿ ou ✵ cadente está em ♃

O terceiro anjo.

Rafael, príncipe das ciências, é aquele ao qual o livro cabalístico de Tobias dá os atributos de Hermes.

Soou a trombeta: manifestou os mistérios e uma estrela ardente como uma tocha incendiada caiu do céu sobre a terça parte das fontes e dos rios.

A estrela flamejante cai sobre as fontes das idéias, mas os mistérios não se manifestam sem provações.

Essa estrela chamava-se amargura e as águas, tendo-se tornado amargas, fizeram morrer muitos homens.

A iniciação é necessária e a verdade deve ser ensinada com uma ordem hierárquica; o que dá vida aos fortes pode também dar a morte aos fracos e nem todos podem, indistintamente, ser alimentados com o mesmo pão e saciados pelo mesmo vinho.

Toda revelação tem, portanto, seu lado funesto; ela é a salvação de uns e a perdição de outros.

A QUARTA TROMBETA
O ANJO SACHIEL-MELECH

O quarto anjo

Sachiel-Melech, rei dos sacerdotes e dos impérios.

Soou a trombeta.

Proclamou a nova lei.

E a terça parte do sol foi ferida e a terça parte da lua e igualmente das estrelas.

As luzes do mundo se transformam.
Os poderes vencidos são eclipsados.

De sorte que a terça parte desses astros se escurece e eles não brilham mais durante a terça parte do dia e da noite.

Quando vi e ouvi a voz de uma águia voando no meio do céu.

O símbolo do despotismo que triunfa pelas revoluções e que anuncia novas desgraças para o mundo.

Dizendo em voz alta: Desgraça. Desgraça aos habitantes da terra por causa dos três últimos anjos que devem soar a trombeta.

As últimas provações são as mais terríveis porque devem ser eficazes e decisivas.

A QUINTA TROMBETA
O ANJO ANAEL

♀

Então o quinto anjo.

O Anjo Anael que governa o planeta Júpiter e que governa os reinos e os reis da terra.

Soou a trombeta.

Proclamou a verdade política do evangelho, isto é, o reino da justiça e da fraternidade.

E vi uma estrela cadente.

A inteligência humana degradada pelo orgulho.

E lhe foi dada a chave do poço do abismo.

Isto é, o poder de suscitar o materialismo por meio de palavras capciosas.

Saiu do poço uma fumaça espessa.

Isto é, as voluptuosidades que devoram e que o materialismo torna as rainhas do mundo. Os homens sacodem o jugo em nome da justiça, mas são seus vícios que eles pretendem emancipar primeiro.

Elas tinham coroas de ouro, rostos de homem e cabelos de mulher.

Orgulho, luxo, indolência.

Elas fazem desejar a morte. Seu chefe é o anjo do abismo cujo nome é exterminador.

A SEXTA TROMBETA
O ANJO CASSIEL

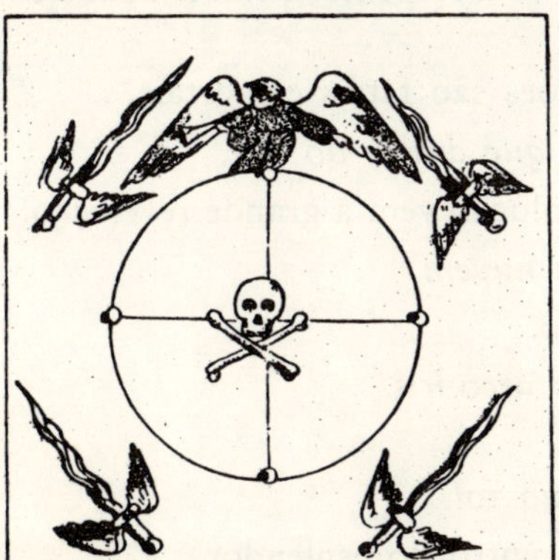

O sexto anjo.

Cassiel, o anjo de Saturno, o anjo das solidões e das lágrimas.

Soou a trombeta.

Dá o sinal das revoluções.

E lhe foi ordenado que libertasse os quatro anjos.

Os quatro flagelos destruidores.

Que estavam prestes para o dia, a hora e o mês.

Porque na natureza nada se faz ao acaso.

Para matar a terça parte dos homens.

Isto é, os mais fracos na ordem hierárquica do ternário.

E o número dos cavaleiros era de vinte mil vezes dez mil e eu ouvi dizer o número deles, e vi cavalos na visão, e os cavaleiros tinham couraças de fogo, de enxofre e de jacinto.

O fogo era vermelho; o enxofre amarelo ou branco; o jacinto, violeta ou azul, as três cores.

As cabeças dos cavalos eram cabeças de leões.

A cólera e a força que arrebatam fatalmente os revolucionários.

De sua garganta saíam fumaça e enxofre juntamente com fogo.

Todos os princípios confundidos: as trevas, a luz e o calor.

Suas caudas assemelhavam-se a serpentes e tinham cabeças para atacar.

As seqüências das revoluções são fatais e mortais.

Então vi outro anjo forte que descia do céu.

Depois de uma grande revolução vem a grande revelação.

Ele estava vestido de uma nuvem.

As sombras do simbolismo.

Sobre sua cabeça estava o arco-íris.

A análise universal da luz.

Seu rosto assemelhava-se ao sol.

A síntese e a unidade no centro do esplendor.

Seus pés eram como colunas de fogo.

As forças da natureza, bases da revelação.

Ele colocou um pé sobre a terra e outro sobre o mar.

Para figurar a força estável e a força móvel.

E ele clamou com uma grande voz como um leão que ruge.

O GÊNIO RELIGIOSO DO HOMEM

A SÉTIMA TROMBETA
O ANJO INSPIRADOR

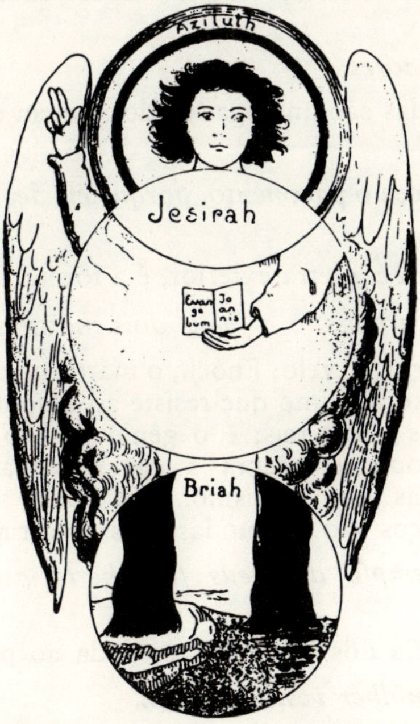

O grande pentáculo da luz eterna sob os atributos do sol e do homem — a síntese da unidade, a que respondem as 7 vozes da análise.

Sete trovões lhe responderam.

Ao verbo da unidade proferido pela força ou pelo poder vitorioso das trevas respondem as sete vozes da natureza. Isto é, todas as verdades esparsas na análise e chamadas à unidade pela síntese.

Este é o grande pentáculo da luz direta sob os atributos do sol e do homem; depois, na página seguinte, o pentáculo da luz refletida sob os atributos da lua e da mulher. No homem, é a cabeça que brilha; na mulher é o ventre, porque toda a sua glória está na maternidade.

E me foi dada uma cana como medida e me foi dito: Mede o templo de Deus.

O templo e suas medidas são alegóricos.

E o altar.

Ele é proporcional ao templo: tudo é exato nos símbolos divinos.

E os adoradores.

Essas medidas são análogas às do homem e representam a humanidade.

Mas não meça o pavimento, porque ele deve ser abandonado às nações.

O pavimento é a letra exterior, é a forma vulgar do culto.

E eu darei a palavra a meus dois mártires.

Elias, o mártir do zelo; Enoch, o mártir da ciência. Elias é o gênio do protesto legítimo que resiste ao despotismo dos maus sacerdotes e dos maus reis; é o gênio de São Bernardo e de Savonarola. Enoch representa a ciência cabalística. Pois as chaves primitivas do ocultismo, das letras sagradas e dos números hieráticos são atribuídas a esse patriarca.

Então o templo de Deus foi aberto e o arco de seu testamento.

A inteligência dos símbolos foi dada ao profeta.

E vi uma mulher vestida de sol.

A religião ou a Igreja, figura da sabedoria incriada.

E a lua estava sob seus pés.

Ela estava acima daquilo que muda.

GRANDE PENTÁCULO DA LUZ REFLETIDA SOB OS ATRIBUTOS DA LUA E DA MULHER

E sobre sua cabeça uma coroa de doze estrelas.

Seu pensamento estava no centro do movimento celeste, no meio dos signos do Zodíaco.

E, estando prenhe, clamava com as dores do parto.

Toda religião dá à luz uma ciência nova e um novo mundo. É a razão do sacrifício, da penitência e de seus rigores, da pregação e de seus clamores eloqüentes.

E vi outro símbolo.

O da força instintiva e brutal.

Um grande dragão vermelho com sete cabeças, dez cornos e, sobre suas cabeças, sete diademas.

As sete cabeças são os pecados capitais; os dez cornos são as desobediências aos dez mandamentos de Deus, os sete diademas são os triunfos do pecado nas iniciações humanas.

E ele parou diante da mulher para devorar-lhe o filho quando ele nascesse.

O mal ataca a mulher por causa de sua fraqueza e, contudo, ela é santa porque deve tornar-se mãe.

E ela deu à luz um filho varão que reinará sobre todos os povos com um cetro de ferro.

A mulher é a mãe de Deus na humanidade.

É a rainha-mãe do mundo. O que se diz dela pode-se dizer também da sociedade e da Igreja, de que ela é o tipo vivente.

E houve um grande combate no céu.

As crenças do novo mundo lutaram contra as crenças do mundo antigo.

A besta ou o instinto brutal.

E o dragão foi lançado por terra.

Os ídolos do velho mundo representam as forças fatais da natureza. O fogo eletromagnético figurado em todas as teogonias pela serpente alada ou dragão. Essa força deixou de ser olhada como primeiro princípio e caiu no domínio da matéria.

E ele perseguiu a mulher.

Que fica sujeita às influências magnéticas.

Mas foram dadas à mulher as asas de uma grande águia.

Foi dada à mulher a faculdade de rezar e de se elevar pelo pensamento acima das fatalidades magnéticas de sua organização impressionável e nervosa.

E ele abriu sua garganta e vomitou um fogo para engolir os filhos da mulher.

As falsas doutrinas nascidas na imaginação desregrada e que tendem a absorver tudo no misticismo ou na fatalidade.

O SACERDÓCIO CORROMPIDO

O pregador de Satã.

A Síntese realizada do mal.

Mas a terra se abriu e absorveu o fogo.

O que vem da terra volta à terra e as doutrinas de morte cedo ou tarde são retomadas pela morte, que lhes deu uma existência efêmera.

E o perigo se deteve à beira do mar.

As doutrinas materialistas e fatalistas, assim como todas as forças do mal, detêm-se diante das profundezas da imensidade.

Então eu vi levantar-se do mar uma besta que tinha sete cabeças e dez cornos.

Eis que, do abismo das idades, se eleva o último império universal, o reino anticristão que deve preceder a vinda do Messias.

E a besta que eu vi era semelhante a um leopardo.

A besta parecia-se com a Inglaterra.

Seus pés eram pés de urso.

Ela caminhava como a Rússia.

Sua garganta, a garganta de um leão.

Isto é, ela tinha por única lei os apetites insaciáveis da força. Essa é a síntese e a reunião dos quatro animais simbólicos de Daniel.

E uma de suas cabeças foi ferida de morte, mas ela foi curada e toda a terra se admirou e adorou o dragão que dá tal poder à besta.

Um dos grandes impérios anticristãos deve levantar-se depois de ter-se enfraquecido. Pode ser a Turquia ou a Áustria, e o mundo admirará os recursos da força material.

E lhe foi permitido fazer a guerra aos santos e ela foi adorada por todos aqueles que não estão inscritos no livro desse Cordeiro que é imolado desde a origem do mundo.

O caráter da última idade será o desprezo a todo pecado e a toda religião interior. Os caracteres educados serão alvo de todas as chacotas e de todos os abandonos; somente o valor material será adorado.

A VISÃO DE DANIEL

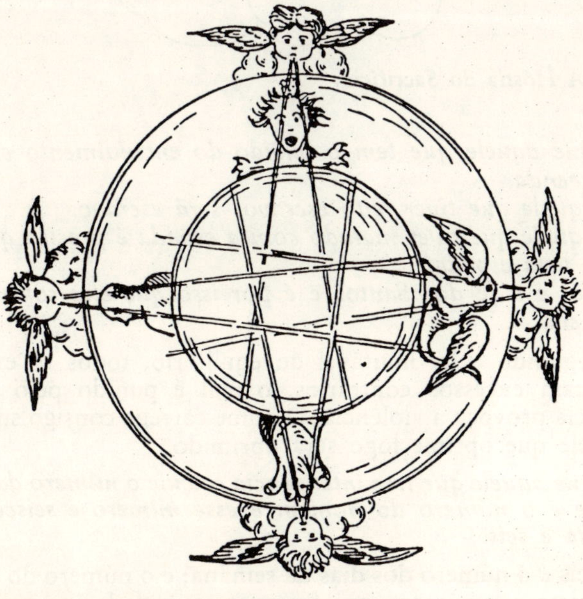

As quatro formas da Esfinge infernal.

O cordeiro misterioso.
O carneiro solar: imagem da nova revelação.
A verdade e a doçura.

A Hóstia do Sacrifício.

Que aquele que tem o ouvido do entendimento escute e compreenda.

Aquele que tiver feito escravos será escravo.

Aquele que tiver matado com a espada é preciso que seja morto pela espada.

Tal é a fé dos Santos e é por isso que eles sofrem com paciência.

Seguindo a lei imutável do equilíbrio, todos os excessos provocam excessos contrários, o mal é punido pelo mal, a violência provoca a violência. O crime carrega consigo sua pena e aquele que oprime logo será oprimido.

Que aquele que tem inteligência calcule o número da besta, porque é o número do homem e esse número é seiscentos e sessenta e seis.

Seis é o número dos dias da semana; é o número do tempo, como sete é o número que figura a eternidade.

666

Seis representa o equilíbrio no finito; três equilibrado por quatro, isto é, a alma em luta contra a matéria.

Os antigos cabalistas admitiam três elementos espirituais na alma humana: Psiche, Nephesch e Neschamah; isto é, a alma sensitiva, a alma racional e o espírito puro. As três formas da alma correspondiam a três mundos: o material, o espiritual e o divino, e tinham por correspondentes na matéria três formas elementares primitivas, chamadas: sal, enxofre e mercúrio.

O número seis é representado na Cabala por dois triângulos que formam o selo de Salomão, quando os reunimos dando-lhes um centro comum que representa Sete, mas que não podem formar nenhuma figura regular se não se pode dar-lhes o sétimo número por centro.

Sabemos, também, que a escala de progressão dos números é dez; assim, o número 666 representa o número 6, o do antagonismo entre o espírito e a carne, o da criatura ou do homem, já que, de acordo com a narrativa simbólica do Gênese, foi no sexto dia que foi criado o homem; representa, dizemos nós, esse número, com uma dupla potência progressiva ascendente por 10 e quer dizer materialismo racional, materialismo erigido em crença e em religião.

Esse número escrito em letras hebraicas dá Samaon: o mau; Samael: o gênio das trevas. E eu vi na luz da intuição.

E eis uma nuvem brilhante. (Um dogma transparente). *E, sentado sobre a nuvem, a semelhança do Filho do homem.*

A figura humana servindo de tipo hieroglífico à concepção de Deus.

Tendo sobre sua cabeça uma coroa de ouro e na mão uma foice afiada. E um anjo saiu do templo clamando em alta voz àquele que estava em cima da nuvem: Envia tua foice, pois a messe está madura. E aquele que estava sobre a nuvem mandou sua foice sobre a terra e a ceifou.

As grandes manifestações religiosas constituem o sinal das grandes guerras e das grandes revoluções.

E outro anjo saiu do templo que está no céu com uma foice aguda.

O templo que está no céu é a doutrina exata representada pelo plano hieroglífico do templo. Essa doutrina deve ceifar todas as crenças errôneas.

E um outro anjo que tinha poder sobre o fogo.

A ciência do fogo é o lado prático do ocultismo religioso.

E gritou para aquele que tinha a foice dizendo: Envia a foice, pois a messe está madura.

O dogma, ao se desenvolver, marca a hora das ruínas.

E o anjo mandou sua foice e ceifou a terra, e a uva foi lançada no lagar da cólera divina e o lagar foi pisado fora da cidade e o sangue subiu fora do lagar até os freios dos cavalos, pelo espaço de mil e seiscentos estádios.

Mas as ruínas são fecundas. O profeta compara-as à messe e à vindima. O sangue da Humanidade, como o do Cristo, será o vinho da comunhão para os povos do futuro.

OS SETE CÁLICES

CAPÍTULO XVI

E ouvi uma grande voz que saía do templo, a qual dizia: "Ide, e derramai sobre a terra os sete cálices da ira de Deus."

Os cálices de sangue precedem os cálices de vinho; toda revelação nova da verdade anuncia o extermínio dos erros. Só se pode chegar à paz pela guerra.

E o primeiro anjo foi e derramou o seu cálice sobre a terra e caiu uma chaga vergonhosa sobre aqueles que tinham o caráter da besta ou sua imagem.

As trombetas são os órgãos regeneradores do verbo ativo. Os cálices são os recipientes do verbo passivo. A trombeta, como o bastão, como o cetro, corresponde à letra Iod, a primeira do nome de Jehovah; o cálice corresponde à letra Hê, a segunda do nome divino; os sete anjos são sempre os mesmos em diferentes funções.

O PRIMEIRO CÁLICE

Miguel proclama a glória do Deus único.

O segundo anjo derramou seu cálice sobre o mar e o mar se tornou em sangue, como de um morto; e tudo o que vivia nas águas morreu.

A terra e o mar são colocados, aqui, em oposição equilibrada; lembramo-nos de que o grande anjo sintético, o símbolo da ciência universal, tem um pé sobre a terra e o outro sobre a água,

O SEGUNDO CÁLICE

O anjo do mar proclama a unidade da vida.

como a antiga Ísis, como a rainha Bertha de longos pés ou a rainha Pedauque da Idade Média, que tem uma perna que termina *por uma pata de gansa*, para mostrar que ela deve repousar sobre a água, pois é palmada, como a do pato ou a do cisne.

A água, de acordo com a física dos antigos, é o veículo universal da vida; ela se torna semelhante ao sangue de um cadáver para mostrar a decomposição das idéias que precedem as transmutações sociais e que mudam em sintomas de morte os próprios elementos da vida.

O terceiro anjo derramou seu cálice sobre os rios e sobre as fontes, e eles se converteram em sangue.

Os rios e as fontes representam as opiniões e as idéias correntes. O progresso, essa lei providencial, nas épocas de revolução parece transformar-se numa fatalidade infernal. Tudo é dissolvente nas épocas de dissolução.

Então eu ouvi o anjo das águas dizer: Sois justo, Senhor, que sois e que serás, vós o Santo por excelência, vós sois justo diante do julgamento que fizestes. Pois eles derramaram o sangue dos Santos e dos profetas, vós lhes destes sangue para beber; eles são dignos dessa bebida.

O TERCEIRO CÁLICE

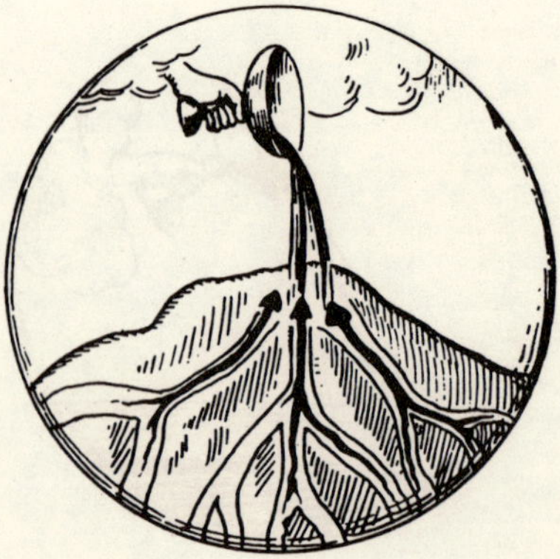

O anjo Rafael proclama a unidade da verdade.

Os partidos se cobrem de ignomínia, alternativamente, pela violência e se justificam uns aos outros. Os filhos dos mártires tornam-se perseguidores e padecem represálias sangrentas; assim a universalidade dos erros e dos crimes prepara a universalidade da penitência e do perdão.

Os judeus derramaram o sangue de Jesus Cristo; os cristãos, por sua vez, derramaram o sangue de Israel. O martírio do homem-Deus é expiado pelo martírio do povo de Deus, pois foi também de Israel que se disse: Aquele é meu filho bem-amado.

O quarto anjo derramou seu cálice sobre o sol.

O verbo negativo é derramado sobre a luz, e a dúvida invade o mundo; essa dúvida não vem do inferno, mas do próprio anjo do sol.

E lhe foi dado afligir os homens pelo calor excessivo e pelo abrasamento da atmosfera.

A verdade queima quando não ilumina; os homens não podem sofrer o tormento da dúvida; para eles, a ausência da fé é o inferno.

E eles blasfemaram o nome de Deus que tem o poder de ferir assim; mas eles não fizeram penitência e não lhe deram glória.

O QUARTO CÁLICE

O anjo do sol proclama a unidade da luz.

Os homens blasfemam porque sofrem: não negamos a Deus quando o conhecemos; não o ultrajamos quando temos o sentimento tão consolador de sua existência; o ateísmo é uma febre passageira.

A humanidade destrói os ídolos, mas não pode passar sem Deus. Não é, contudo, sob a pressão dos flagelos que o mundo se converte; a dor purifica mas não consola; ela destrói o mal sem que sintamos que nos tornamos melhores. Ela só prepara o bem, como essas violentas tempestades que vêm purificar a atmosfera. Quando Deus se mostrar em toda a sua infinita caridade os homens deixarão de blasfemar.

O quinto anjo derramou seu cálice sobre o trono da besta e seu reino se tornou tenebroso.

O anjo de Júpiter, Sachiel-Melech, derrama a condenação sobre os tronos do egoísmo consumado e pronuncia o julgamento dos reis.

E eles comiam sua língua de dor e blasfemaram contra Deus por causa de seus males e de seus lugares, e não fizeram penitência por suas obras.

As angústias e os perjúrios da política nas épocas de luta entre os povos e os reis, as mentiras do jornalismo venal e da tribuna interessada são os homens que comem a própria língua

O QUINTO CÁLICE

O anjo Sachiel-Melech proclama a unidade da força.

de acordo com a enérgica expressão do apóstolo. Eles são bem infelizes e blasfemam contra Deus de ambos os lados, ansiosos por fazer com que ele sirva de instrumento para suas más paixões. Não é no meio dessas agitações e desses furores que devemos esperar a reforma que se segue aos arrependimentos salutares. A cólera não corrige o mal senão por um mal contrário. Eis por que somente o sacrifício, o sacríficio do cordeiro, pode vencer o furor dos homens e aplacar a justiça de Deus.

O sexto anjo derramou seu cálice sobre esse grande rio chamado Eufrates e o seu leito ficou seco para dar passagem aos reis que devem vir do Oriente.

Lembremo-nos dos quatro rios do Éden que representam os quatro pontos cardeais e as quatro substâncias elementares. O Eufrates é, também, o rio do cativeiro; as águas representam as doutrinas e os povos; um rio que seca é uma potência que desaparece.

E eu vi da boca do dragão e da boca da besta e da boca do falso cordeiro, ou da boca do falso profeta, saírem três espíritos imundos em forma de rãs; são os espíritos dos demônios que fazem prodígios e que vão para junto dos reis da terra para juntá-los no combate no dia do Deus todo-poderoso.

O SEXTO CÁLICE

O anjo Samael proclama a unidade da justiça.

A besta, isto é, a realeza dos homens egoístas e materiais; e o dragão, isto é, a força fatal que produz as paixões más; e o falso cordeiro, isto é, o sacerdote materialista, ávido de vantagens temporais, fazem ouvir seus derradeiros clamores. Não é mais o verbo do homem: é o coaxar importuno da rã que se queixa da secura no leito do rio que se secou.

Então só se ouvem os ruídos dos falsos méritos e dos prodígios usados para enganar e amotinar a multidão; mas a multidão os abandona e os deixa pregando no deserto.

E o sétimo anjo derramou seu cálice no ar e uma grande voz vinda do trono do templo disse: Está feito.

Costumamos dizer, às vezes: "As idéias estão no ar"; com efeito, há um momento em que nós as sentimos, nós as respiramos.

Não podemos crer em outra coisa senão nelas e por elas; então tudo está feito; o progresso está realizado, porque a opinião está formada e a opinião é a rainha do mundo.

E viram-se relâmpagos, vozes e trovões, e houve um tremor de terra tão violento como nunca ocorrera antes.

Os relâmpagos da inteligência, as vozes da multidão, os trovões da eloqüência fazem tremer a terra.

O SÉTIMO CÁLICE

O anjo de Saturno proclama a unidade do reino eterno.

A grande cidade foi dividida em três partes e as cidades das nações pereceram.

Os três graus da hierarquia deixam de estar unidos; a bandeira da unidade toma três cores distintas; as classes se isolam e se constituem em antagonismo social.

E Babilônia volta à memória de Deus, que quer dar-lhe a beber o vinho de sua indignação. As ilhas fugiram, as montanhas não foram mais encontradas, um granizo da grossura de um talento de prata caiu sobre a terra e os homens blasfemaram contra Deus porque essa chuva de granizo era excessiva.

A anarquia subverte então o mundo, mas Deus intervém e castiga os homens por seus interesses feridos; o granizo assemelha-se a um talento de prata. É o problema do dinheiro, com efeito, que abate todos os entusiasmos e que domina todos os partidos.

CAPÍTULO XVII

Depois disso veio um dos anjos que tinham os sete cálices e ele falou comigo, dizendo-me: Vem e eu lhe mostrarei a condenação da grande prostituta que está sentada na fonte das águas e com a qual se mancharam os reis da terra, daquela que embebedou todos os habitantes do mundo com o vinho de sua prostituição.

Essa prostituta, que os protestantes pretendem que seja a Igreja Romana, representa a luxúria do mundo antigo. É essa filha impura de Babilônia de que se fala no Salmo 136 e cujos filhinhos — isto é, os amores impuros — o profeta quer esmagar contra a pedra do decálogo.

É a Vênus Astarte do Oriente; é a Roma dos Césares e a Roma dos Bórgia. Mas apenas do ponto de vista moral e não em relação com a teologia.

E ele me levou, em espírito, até o deserto.

É no deserto, isto é, no domínio da abstração e fora de todas as intuições, quer divinas, quer humanas, que se mostra esta visão.

E vi uma mulher, e não um papa ou um rei.

Sentada sobre uma besta escarlate cheia de nomes de blasfêmia.

A besta escarlate é a realeza prostituída.

Com sete cabeças e dez cornos.

Os sete pecados e as dez blasfêmias.

E a mulher estava rodeada de púrpura e de almofadas bordadas a ouro, pérolas e pedras preciosas. O luxo alimenta o deboche e a riqueza imoral nada mais é que a escrava da impureza; por seu lado, a impureza leva, fatalmente, à idolatria das riquezas.

E ela empunhava um vaso de ouro cheio da abominação e das imundícies de sua luxúria. O vaso ou o cálice simboliza o Aeis, o órgão feminino, o instrumento passivo do deboche, *e sobre sua fronte estava escrito o nome: Mistério.*

O deboche é inimigo da sabedoria e amigo da loucura, que de tudo duvida e para a qual tudo é mistério.

É a grande Babilônia, a mãe das fornicações e das abominações da terra.

Trata-se, portanto, de algo universal e não de algo particular.

E vi essa mulher ébria do sangue dos mártires.

Ela explora o devotamento daqueles que morrem.

Vendo-a, senti um profundo espanto.

Ela causa espanto tanto por sua força quanto por sua infâmia.

Mas o anjo me disse: Por que te espantas? Eu te explicarei o significado da mulher e da besta de sete cabeças sobre a qual ela está sentada.

Em seguida, o anjo aplica a Roma essa alegoria da impureza universal, mas à Roma do tempo de São João. Isto é, à Roma dos Césares e de Domiciano; ele prediz que ela será dilacerada e devorada pelos reis que ela corrompera; que ela descerá do trono e será reduzida à desolação e à miséria. Que essa profecia possa ser também aplicada à Roma dos Bórgia é fora de dúvida, mas é à corte romana dos cardeais apóstatas e não à sede inviolável de São Pedro que essas ameaças podem ser endereçadas.

CAPÍTULO XVIII

Depois disso vi outro anjo descendo do céu com grande poder, e a terra se iluminou com sua glória.

Outro anjo, isto é, uma nova manifestação do espírito de verdade, desce do céu, isto é, das alturas da inteligência.

E ele gritou com toda a sua força dizendo: Ela caiu, ela caiu, a grande Babilônia!

Os espíritos esclarecidos pela verdade compreendem que o reino do erro se tornou impossível. O triunfo da injustiça é sempre o do erro, e quando as nações se esclarecem, abjuram imediatamente a escravidão e a tirania. Não se muda o mundo com incêndios, mas com novas luzes.

E um anjo forte levantou uma pedra semelhante a uma grande mó de moinho e a precipitou no mar dizendo: "É com esse ruído e com esta impetuosidade que cairá essa grande Babilônia, que não será mais vista."

Reproduz-se aqui o magnífico e sombrio quadro da destruição do velho mundo, já figurada por Ezequiel ao descrever a ruína de Tiro. A imensidão dos mares reflete o vermelho do incêndio cuja fumaça sobe até os céus, como a justiça terrível sobe através das idades do fastígio do poder e da glória; a cidade dos maus é precipitada nos abismos da vergonha e do desprezo. Os reis, amedrontados, levantam-se de seus tronos para olhar os clarões dessa imensa fogueira; os navios, cheios de medo, se detêm no mar; parece que toda a natureza se cala para ouvir os últimos estalidos desse grande império que cai.

Babilônia já não existe; acabou. Ainda ontem ela estava cheia de tumulto e de alegria; suas luzes coruscavam na noite; suas ruas estavam iluminadas; ouviam-se ali os risos da orgia; os noivos passavam por elas coroados de flores ao som de harpas e de trombetas. Mas — ai! — clama o profeta, como que ele mesmo enternecido pela presteza e pela imensidão dessa ruína, como essa grande cidade pode perecer assim, num instante!

Então o céu que São João descreveu no começo de sua profecia se abre ainda uma vez; as trombetas dos anjos, as cataratas do mar, o trovão dos mundos que rolam dando glória a Deus fazem brilhar o canto triunfal da verdade triunfante e da justiça coroada. O verbo da verdade, que, no início, foi representado sob a figura resplandecente do cordeiro solar, surge sob as vestes esplêndidas de um novo esposo. O pensamento, enfim, vai realizar-se na forma.

O céu vai celebrar suas núpcias com a terra. O reino do Messias vai, enfim, aparecer sobre a tèrra. O salvador não é mais um celibatário crucificado: é um jovem esposo triunfante; depois da redenção do homem, veio a redenção da mulher. O gênio casa-se, enfim, com a beleza. Felizes, exclama o anjo, os convidados para esse casamento celeste; escreve, acrescenta ele, porque a palavra de Deus está provada agora em toda a sua verdade. São João, então, se prosterna e quer adorar o revelador, mas o anjo o detém e lhe diz para não fazer nada. Somos, nós dois, diz-lhe ainda, os servidores da verdade e da justiça: adora somente a Deus. Deus, a quem prestava testemunho, na boca do Cristo, o espírito dos Santos e dos Profetas. Assim o apóstolo inaugura o reino definitivo do Espírito Santo e da última revelação desse Deus que não será adorado mais exclusivamente no templo de Jerusalém ou sobre os altos cimos da Samaria, mas de acordo com o oráculo do mestre:

No espírito e na verdade,
Na inteligência e na justiça.

E eu vi o céu aberto.

Como no começo.

E eis um cavalo branco.

Uma forma pura da palavra.

E aquele que estava montado nele chamava-se o verdadeiro e o fiel.

Isto é, o homem da verdade e da justiça.

E com a justiça ele julga e combate.

A força do império pertence à justiça.

Seus olhos eram como a chama do fogo.

Como na primeira visão do leão.

E sobre sua cabeça ele tinha um grande número de diademas.

Todos os poderes se reúnem na mão do justo.

E tinha um nome escrito que ninguém, a não ser ele mesmo, sabe qual é.

O nome de Deus, de que ele é o verbo vivente.

E ele vestia uma roupa manchada de sangue.

Ele passou pela guerra e pelo sacrifício.

E ele se chamava o verbo de Deus.

Que é, foi e será no princípio eterno.

E os exércitos do céu o seguiam.

Tudo obedece à razão suprema e à palavra vivente.

De sua boca saía uma espada de dois gumes.

Como na primeira visão.

Com ela, ele ferirá as nações e as governará com uma vara de ferro.

A justiça é inflexível como a verdade, pois a verdade e o bem são imutáveis.

E vi um anjo de pé sobre o sol chamando em grandes gritos as águias e os abutres para devorarem a carne dos reis e dos escravos.

Essa imagem é grande e terrível, e lembra a palavra de Jesus Cristo no Evangelho: Em toda parte onde houver cadáveres aí se ajuntarão as águias.

E vi um anjo que descia do céu tendo a chave do abismo e uma grande cadeia nas mãos.

A chave da ciência e a cadeia dos números.

E ele se apoderou do dragão, da antiga serpente, que é o diabo e Satanás.

A luz astral e vital, força fatal para os maus, obediente para os justos, o fogo sagrado dos magos, o dragão de Jasão e de Cadmo.

E ele o amarrou por mil anos e o lançou no abismo.

Ele está amarrado pela ciência e os mil anos são uma multiplicação do denário.

E ele fechou o abismo sobre ele e marcou sua cobertura com seu selo.

O selo de Rafael, de Salomão e de Hermes.

E ele não seduzirá mais as nações até que se passem os mil anos.

Como o equilíbrio é a lei eterna da vida, toda ação faz prever uma reação e toda compressão, uma expansão; esse é o motivo pelo qual os iniciados cristãos dos primeiros séculos anunciaram a vinda do Anticristo.

Depois disso, é preciso que inda uma vez ele seja desatado, mas isso será por pouco tempo.

O mesmo acontecerá na época messiânica. O triunfo definitivo do bem não se cumprirá sem um movimento que precisará de um movimento contrário numa época determinada; mas o movimento de revolta será fraco, porque o triunfo será calmo.

E foram colocados tronos.

Os sábios e os justos são reis cujo reino não é deste mundo, mas o mundo que há de vir levantará seus tronos.

E sobre esses tronos sentaram-se as almas daqueles que haviam sido decapitados em testemunho de Jesus e do Verbo de Deus, e que não adoraram nem a besta nem sua imagem.

Assim, o crime está em adorar a besta e em tomar por fim último a satisfação dos sentidos.

Que não receberam seu caráter nem sobre a fronte nem sobre a mão.

Isto é, que não pensaram nem agiram de acordo com o ponto de vista do mundo materialista, escravo do dinheiro e da mentira.

E eles viveram e reinaram com Cristo durante mil anos.

E o profeta está tão seguro do que diz que o afirma como tendo já acontecido.

Os demais mortos não voltam antes de passados mil anos.

Todos voltaram, mas cada um de acordo com o princípio vital que escolheu; os que não amaram a justiça não poderão tomar parte do reino dos justos.

Esta é a primeira ressurreição. Feliz e santo aquele que deve participar desta primeira ressurreição.

A primeira ressurreição é a da alma que se torna imortal por sua união com a verdade e a justiça.

A segunda morte não terá poder sobre eles.

Morrer moralmente é expor-se a morrer eternamente na ordem física.

Mas eles serão os sacerdotes de Deus e de seu Cristo e reinarão com ele durante mil anos.

Os justos são sacerdotes e reis e devem reinar com Jesus Cristo. Os mil anos, como dissemos, são simbólicos e não devem ser compreendidos de acordo com a heresia dos milenários.

Quando se passarem os mil anos, Satã será desamarrado e sairá de sua prisão e seduzirá as nações que estão nos quatro ângulos da terra.

A reação se produzirá pelas forças materiais figuradas pelos ângulos do quadrado inscrito no círculo.

Gog e Magog.

Isto é, as forças da anarquia e da morte, 6.666 mais 13, o número da morte, e A Ω ou o começo e o fim; temos aqui os números das letras hebraicas e o simbolismo das letras gregas.

E ele os ajuntará para o combate sobre toda a extensão da terra.

O mundo inteiro se levantará contra a verdade e a justiça em nome dos instintos da besta e dos instintos do egoísmo.

E eles assediaram o campo dos santos e investiram contra a cidade de dileção.

Essa revolta que está por vir já é como que passada. É o exército de Sennacherib vencido pelo sopro de um anjo.

E o fogo desceu do céu e os devorou.

Eu passei, e eles não estavam mais lá, disse magnificamente outro profeta.

E o diabo que os seduzia foi precipitado num tanque de fogo e de enxofre.

A estagnação da vida, a inação, a imobilidade — eis o suplício do diabo, o grande impostor dos primeiros séculos do cristianismo; o pretenso Deus do mal foi reduzido à impotência.

Onde a besta e os falsos profetas serão torturados durante séculos e séculos.

Essa impotência será o suplício dos instintos egoístas e da hipocrisia enquanto durar o triunfo do bem, mas pelo próprio suplício do pecado Deus salvará os pecadores, fazendo do mal um tormento insuportável; ele converterá os maus e os forçará a voltar ao bem.

E vi um grande trono branco.

O reino da síntese e da unidade.

E diante daquele que nele estava sentado desapareceram o céu e a terra, de modo que não se encontra mais nem mesmo o lugar em que estavam.

Do mesmo modo como no branco se absorvem o azul e o vermelho, essas duas extremidades contrárias da escala cromática.

E vi os mortos pequenos e grandes de pé, diante do trono, e os livros foram abertos.

O bem triunfou e irá julgar as almas que seu triunfo definitivo fixa na imortalidade.

Então abriu-se outro livro: o livro da vida.

Há dois livros, como havia duas árvores. O da ciência e o da vida, como há em Deus sabedoria fixa e liberdade ativa.

E os mortos foram julgados de acordo com o que estava escrito nos livros e de acordo com suas obras.

Os homens têm dois princípios de ação: a lei e sua liberdade; cabe a eles escolher.

Sua escolha se manifesta por suas ações. É por isso que eles serão julgados de acordo com suas obras.

E o inferno e a morte foram lançados no tanque de fogo.

O inferno e a morte são rejeitados do novo mundo como inúteis; eles são lançados na inatividade, na estagnação da vida.

Esta é a segunda morte.

É a morte da própria morte e do diabo.

Quem quer que não se encontre inscrito no livro da vida será lançado no tanque de fogo.

Tudo o que pertencia ao diabo e à morte, todas as crenças horríveis, todas as crueldades supersticiosas, todas as rusgas do fanatismo, tudo o que não é nem verdade nem justiça, tudo o que não é digno da eternidade, tudo o que não está escrito no livro da vida eterna, tudo isso será lançado no tanque de fogo e de enxofre, no fogo estagnante, na vida morta, no lago de asfaltite da eternidade.

CAPÍTULO XXI

E vi um novo céu e uma nova terra.

A inteligência se revelou e a face do mundo se transformou.

Pois o primeiro céu e a primeira terra desapareceram e o mar já não existe.

A terra de iniqüidade não existe mais e o mar já não separa as nações reunidas pela paternidade universal; não há mais mar, como um rei de França dizia: não há mais Pireneus.

E eu, João, eu vi a Cidade Santa.

A justiça e a verdade existem primeiro quando prevemos o seu reinado, quando vemos a futura cidade dos espíritos verdadeiros e das vontades justas.

A nova Jerusalém que descia do céu sobre a terra.

O tipo da perfeição social que, do céu, isto é, do domínio das abstrações, passa para o domínio das realidades.

Preparada pelo próprio Deus.

O reino de Deus pelo qual clamamos todos os dias é o reino da verdade e da justiça. Ora, esse reino deve vir porque a força pertence à justiça.

E adornada como uma esposa que vai ter com o esposo.

A forma semelhante ao pensamento, a matéria submetida ao espírito, a palavra e a ação conformes à verdade, a cidade dos homens regida pela lei de Deus: tudo isso é análogo a um casamento em que a esposa foi convenientemente escolhida e preparada para o esposo.

E ele me disse: eu sou A *e* Ω.

O princípio e o fim, em latim A e Z, em hebraico א e ת : é assim que os iniciados no ocultismo formaram a palavra AZOTH, que quer dizer Deus e também a substância universal.

O plano do Éden e da nova Jerusalém.

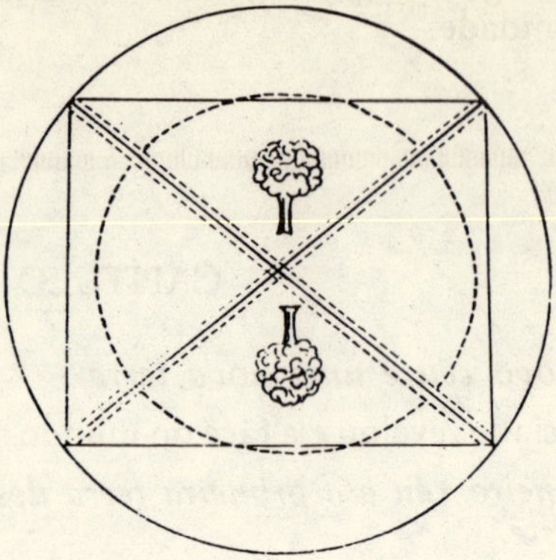

Chave dos pentáculos, das letras hieroglíficas e dos números sagrados.

Ao que tiver sede, darei de beber da fonte das águas vivas.

Felizes, diz Cristo, aqueles que tiverem fome e sede de justiça, porque serão saciados.

Aquele que vencer possuirá tudo isso, e eu serei para ele um Deus e ele será para mim um filho.

Somente esse terá um Deus que conquistou a imortalidade por seus esforços, que soube, quis, ousou e que se matou.

Mas os covardes, os incrédulos, os execráveis, os homicidas, os fornicadores, os envenenadores, os idólatras e todos os mentirosos terão como parte o tanque de fogo e de enxofre.

E um dos sete anjos que tinham os cálices me falou e me disse: Vem e eu te mostrarei a esposa casada com o Cordeiro.

E ele me levou em espírito até o alto de uma montanha e me mostrou a santa cidade de Jerusalém que descia, brilhante, da claridade de Deus.

A alta montanha é a região elevada da iniciação superior e a nova Jerusalém é um pentáculo análogo ao de Ezequiel, ao de Tebas e ao plano misterioso do Jardim Edênico. É a quadratura do círculo, o problema cuja solução é procurada pelos tolos onde ela não poderia estar e que exprime as duas leis: a que cria e a que conserva o universo. O movimento e a estabilidade.

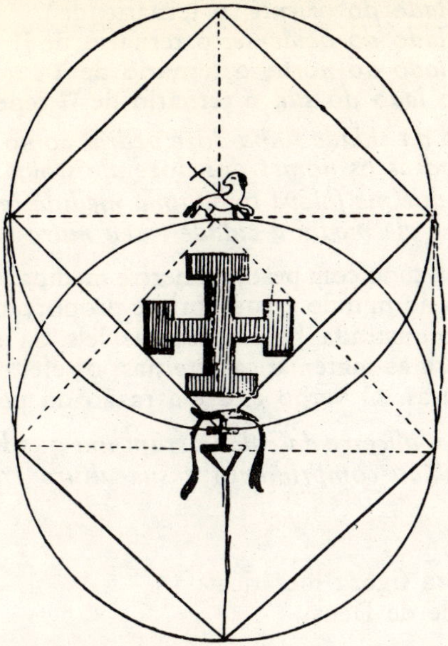

Elevação do cubo no cilindro.
Quadratura e síntese da Igreja.

A luz era como o brilho das pedras preciosas; ela era como o jaspe e transparente como o cristal.

Vê-se que não se trata de uma cidade, mas de um símbolo hieroglífico; ela reúne as qualidades contrárias: o brilho sombrio e opaco do jaspe e a transparência do cristal.

Ela era cercada por um muro grande e alto.

Não é dado a todos penetrar no centro dos mistérios; a cidade da iniciação é fortificada e seu muro é grande e alto; veremos, logo a seguir, que o pentáculo tem a figura de um cubo fechado ou que pode ser fechado dentro de um globo.

Tendo doze portas e nas doze portas doze anjos e doze nomes gravados, que são os nomes das tribos de Israel.

Os doze signos do Zodíaco, as doze virtudes chamadas frutos do Espírito Santo, as doze Estações do Sol, as doze formas divinas do Egito e da Grécia.

Três do lado do oriente, o ternário de י.
Três do lado do ocidente, o ternário de ה .
Três do lado do norte, o ternário de ו .
E três do lado do sul, o ternário de ה repetido.

E o muro da cidade tinha doze pedras como fundamento e sobre essas pedras os nomes dos doze apóstolos do Cordeiro.

E aquele que me falava tinha uma medida feita como uma cana de ouro e ele mediu a cidade e seu muro e suas portas.

Deus criou tudo com peso, número e medida, diz a Escritura Sagrada; tudo no mundo é equilíbrio e proporção. A revelação perfeita é demonstrada pelas próprias leis da natureza, que repousam sobre as matemáticas eternas; os efeitos são proporcionais às causas. O verbo está em razão do pensamento.

A base e o alicerce da cidade eram um quadrado e sua largura era igual ao comprimento e sua altura era igual à sua largura.

A primeira figura hierática
A unidade de Deus

A figura do tetragrama divino
A cruz dos templários

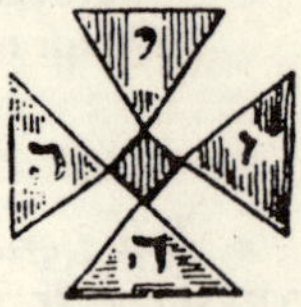

A síntese tetragramática
A unidade dos quatro atributos divinos
A criação realizada

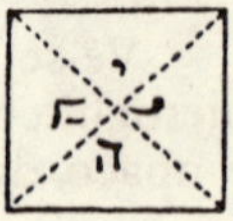

E a altura dos muros era de 144 côvados, medida do homem que é também a do anjo.

Todas as inteligências são regidas hierarquicamente e proporcionalmente pelas mesmas harmonias resultantes da analogia das medidas e dos números. Cem é dez vezes o número do reino, ou de Malchuth, ou da realização nas formas criadas, multiplicado por si mesmo. É, portanto, a criação realizada ou tornada conforme à verdade. Quarenta é o mesmo denário ou

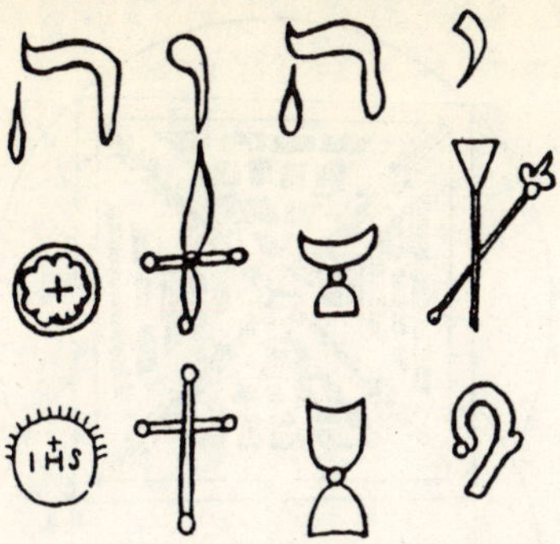

O tetragrama sagrado ou o Schema
com seus quatro hieróglifos e suas analogias.

número dez regido pelo do tetragrama. Quatro é o próprio tetragrama. Somadas, as três cifras dão nove, o grande número divino.

O muro era de pedra de jaspe e toda a cidade era de ouro puro, transparente como o cristal.

O muro é escuro: é o simbolismo; mas a cidade era clara e transparente.

E os fundamentos do muro eram todos de pedras preciosas.

A primeira era de jaspe (verde opaco). *A sétima de crisolita* (azul, Nephtali).

A segunda de safira (azul, Issachar). *A oitava de berilo* (verde-azulado, Manassé).

A terceira de calcedônia (substitui a crisolita). *A nona de topásio* (amarela, Simeão).

A quarta de esmeralda (verde, Rubens). *A décima de crisópraso* (azul, Zabulon).

A quinta de sardônio (substitui o Beryl). *A undécima de jacinto* (lilás, Dan).

A sexta de sarda (substitui o ônix). *A décima segunda de ametista* (violeta, Efraim).

Essas pedras, cujas cores são combinadas por quatro vezes três, representam as principais nuanças da luz análogas aos principais acordes da música, e compõem quatro ímãs com um

Plano e elevação da nova Jerusalém.

centro e dois pólos. Para compreender isso plenamente é preciso estudar com cuidado o que escrevi alhures sobre o racional do grande sacerdote. As pedras preciosas têm realmente virtudes magnéticas, a que damos força e direção reunindo-as de acordo com a ciência. O modo de reuni-las é explicado pela sábia figura geométrica chinesa, chamada trigramas de Fo-hi. Pois a alta ciência foi a mesma em todos os grandes povos da antiguidade e seus símbolos, mesmo que não sejam entendidos, relacionam-se uns com os outros.

E sobre cada uma das doze portas havia uma pérola e cada uma das portas era, ela própria, uma pérola.

A porta da verdadeira ciência é essa pérola, sobre a qual Cristo disse que devemos vender tudo o que temos para adquiri-la.

E o local da cidade era de puro ouro, e não vi nela templo, porque Deus e o Cordeiro são eles próprios seu templo, e a cidade não precisa nem de sol nem de lua, pois ela é continuamente iluminada pela claridade de Deus e por sua lâmpada, que é o Cordeiro.

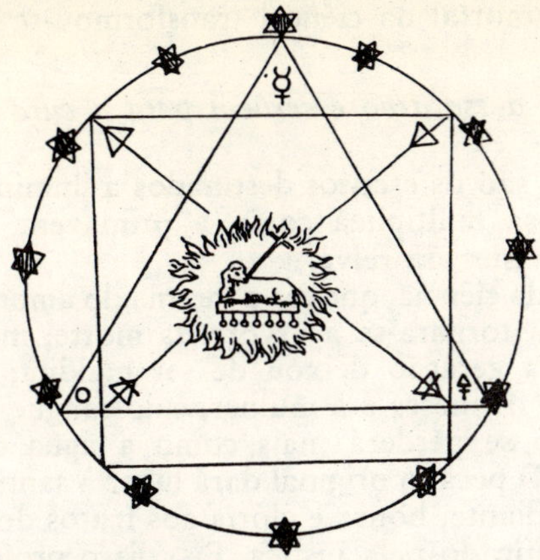

Pentáculo universal da luz.
Plano do templo maçônico.
Selo universal de Hermes.

O ouro é o símbolo da verdade e da luz; o Cordeiro é o sol das inteligências, luminoso por sua brancura, ardente por seu sacrifício. É o carneiro da primavera, o carneiro do tosão de ouro de Phrixus e de Hellé. É o Schechinah da Cabala, que os modernos maçons ainda chamam de Shekenna. Esse símbolo corresponde ao da pomba, emblema de luz e de doçura. A ciência é calma; ela é doce porque a eternidade lhe pertence; ela é o sol dos espíritos e o calor das almas; ela é o templo do culto universal, pois transforma o mundo inteiro num templo em que se adora a inacessível razão e a justiça indefectível.

CAPÍTULO XXII

E ele me mostrou um rio de água viva, esplêndido como o cristal, que saía do trono de Deus e do Cordeiro.

O mesmo que brotava do Éden.

E de cada lado do rio, a árvore da vida, que carrega doze frutos e dá um fruto por mês.

A árvore mortal da ciência transformou-se em árvore da vida.

As folhas dessa árvore servem para a cura das nações.

As folhas são os escritos destinados a iluminar o mundo e que a imprensa multiplica como a primavera as folhas das árvores e as hastes da relva.

A árvore da ciência, que era a mesma do amor, por causa do pecado de Eva tornara-se a árvore da morte; mas o amor foi regenerado e a geração deixou de ser maldita; a árvore que frutifica todos os meses é a mulher, cujo sangue não será mais impuro e não se perderá mais como a água de uma fonte amaldiçoada. O pecado original dará lugar à santidade original. De agora em diante, honra e glória aos frutos do amor, pois o amor foi santificado pela justiça. Eis, diz o profeta, que Deus fará cessar todas as dores e enxugar todas as lágrimas, a começar pelas do recém-nascido que chora ao entrar na vida porque a vida é maldita. Os homens não são mais escravos de um Deus desconhecido e terrível; eles o vêem, ou antes, lêem seu nome inscrito na fronte de todos. Ninguém jamais viu Deus, diz o apóstolo alhures, mas aquele que não ama o pai, que vê, e que se vangloria de amar a Deus, que não vê, esse é um mentiroso.

Repete-se aqui uma das passagens mais importantes desse livro. São João quer adorar o revelador que lhe fala sob uma forma humana; o verbo encarnado ou o anjo do Senhor impedem-no e lhe dizem que adore somente a Deus. Noutro lugar, nas Escrituras, diz-se que no fim dos tempos o Cristo, como um vice-rei fiel, tornará a entregar o reino nas mãos de Deus, seu pai: Vou para meu pai, porque meu pai é maior que eu — diz ele no discurso depois da Ceia, no evangelho de São João.

E ele me diz: não feches sob um selo as palavras proféticas desse livro, pois o tempo se aproxima.

Esse livro tinha, portanto, uma chave conhecida pelos iniciados do tempo de São João.

Que o mau faça ainda o mal, que o homem impuro se suje ainda. Que o justo se justifique mais e que o Santo acabe de se santificar.

Eis que venho depressa e levo comigo meu galardão.
E darei a cada um segundo suas obras.

Eu sou A *e* Ω*, o começo e o fim. Bem-aventurados aqueles que lavam as suas vestiduras no sangue do Cordeiro, para terem poder sobre a árvore da vida.*

Para ter poder sobre a árvore da vida é preciso ter purificado seu corpo, participando do sacrifício voluntário do Cordeiro, isto é, dos primeiros iniciadores.

Fora daqui os cães e os que dão veneno e os impudicos e os homicidas e os idólatras e todos os que amam e que praticam a mentira!

Os cães são as almas servis e rastejantes; os envenenadores são os falsificadores da doutrina; os impudicos são aqueles que ultrajam o amor.

EPÍLOGO

Eu, Jesus, enviei o meu anjo para vos dar testemunho destas coisas entre as igrejas.

Eu sou a raiz e a geração de Davi.

A estrela resplandecente e matinal.

E o espírito e a esposa dizem: Vem!

E o que compreender dirá: Vem!

Que o que tem sede venha e aquele que quiser receberá de graça a água da vida.

Eu declaro, com o anjo, a todos aqueles que ouvem a profecia deste livro.

Que se alguém lhe acrescentar alguma coisa, Deus ajuntará para ele as calamidades que aí estão preditas.

E que se alguém lhe cortar uma única palavra,

Deus cortará sua parte no livro da vida e na Cidade santa.

Quanto às coisas que estão escritas neste livro, eis o que diz o que dá testemunho destas coisas.

É certo que venho logo.

Amém, Vinde Senhor Jesus,

Que a Graça de nosso Senhor Jesus Cristo esteja com todos vós.

Amém.

PLANO PROFÉTICO DO LIVRO DO APOCALIPSE

PLANO PROFÉTICO

Como o Apocalipse, como vimos, é o resumo simbólico da ciência dos iniciados e uma chave da alta Cabala, seria um engano procurar nele a corrente dos acontecimentos que estão para vir, a não ser sob a forma de uma filosofia transcendente e profética da história. O apóstolo presenciou a luta do espírito contra a besta, da ciência contra a ignorância, da caridade contra o egoísmo, das sete virtudes, enfim, contra os sete vícios capitais desenrolar-se através das idades, mas ele não teve a pretensão de designar em particular nenhum dos homens do futuro: ele não teve em vista nem Juliano, nem Maomé, nem Napoleão, como o pretenderam os diversos comentaristas, alguns dos quais foram grandes pensadores e grandes escritores, como Newton e Bossuet, mas que ignoravam os mistérios da Cabala, e estavam na impossibilidade absoluta de compreender o que quer que fosse num livro cabalístico.

O que se disse de mais razoável é que os sete candelabros, as sete estrelas, os sete selos, os sete anjos, as sete trombetas, os sete cálices e as sete igrejas da Ásia representam sete idades sucessivas e diferentes pelas quais a Igreja devia passar para chegar a seu triunfo definitivo e ao estabelecimento da nova Jerusalém.

Com efeito, vemos que o livro dos evangelhos, o livro da verdade, formado a princípio com sete selos, abre-se lenta e sucessivamente. A abertura de cada selo revela uma luz (a estrela), constitui uma igreja (o candelabro de ouro), suscita um poder (o anjo), proclama uma verdade (a trombeta), ocasiona guerras e flagelos (o cálice cheio de sangue).

São João parece ter representado essas sete idades sucessivas da igreja universal pelas sete igrejas particulares da Ásia às quais ele dirige suas advertências.

A Igreja de Éfeso: primeira idade, os tempos apostólicos, discernimento entre os apóstolos verdadeiros e os falsos, lutas dos bons contra os maus, grandes sacrifícios e grande paciência. São João apenas a recrimina pelo fato de ter deixado arrefecer o ardor de sua primitiva caridade.

O selo da preguiça do espírito é quebrado, o Verbo manifesta-se em sua força.

O conquistador, isto é, o Verbo vestido de branco e coroado de ouro, parte, lançando suas flechas de luz.

O anjo Miguel, o vencedor dos falsos deuses, soa a trombeta e proclama a unidade de Deus e a queda dos demônios; formam-se as tempestades; um dilúvio de sangue vai cair.

A primeira taça é derramada: é a água do batismo que, consagrando os eleitos, condena à infâmia e à danação aqueles que não são marcados por esse sinal sagrado e que carregam o caráter da besta.

Jesus Cristo fala a essa Igreja em nome das sete estrelas que ele segura em suas mãos (a luz merecida pelas boas obras), e promete aos vitoriosos dar-lhes os espíritos da árvore da vida.

A Igreja de Esmirna representa a idade das perseguições e dos martírios.

A Igreja então é pobre, mas rica de virtudes. A sinagoga, que rejeitou os cristãos, entregando-os à perseguição dos romanos, decaiu de sua antiga dignidade.

Eles se dizem judeus mas não são mais judeus: eles são a sinagoga de Satã.

Nada temais do que ireis sofrer, acrescenta o órgão do Verbo; o caluniador colocará alguns de vós na prisão para submetê-los a uma provação, e tereis dez dias de tribulação (as dez perseguições sob os imperadores pagãos). Sede fiéis até a morte e eu vos darei a coroa da vida.

A segunda idade, o segundo selo, a segunda trombeta, o segundo cálice correspondem a essa época; ver as explicações que demos a respeito e relacioná-las com o que dizemos aqui.

A terceira idade, a do estabelecimento do Cristianismo sob o império de Constantino, é figurada pela Igreja de Pérgamo.

A associação dos dois poderes prepara grandes perigos. Eu sei onde moras, diz o Verbo a essa igreja. É no próprio lugar onde está o trono de Satã.

O que te resta é meu nome e não renegaste minha fé; mas lembra-te de que, no lugar em que resides agora, correu o sangue de meus mártires e que do trono que te protege desceu a sentença de seus suplícios. O que o Verbo censura nessa Igreja é o fato de ela tolerar as doutrinas de Balaão, isto é, desse profeta que se vendia ao rei Balai para maldizer ou amaldiçoar de acordo com sua vontade e que corrompia os costumes para destruir a pureza da fé. O Verbo ameaça esses corruptores de combatê-los com a espada de dois gumes que sai de sua boca e promete àquele que vencer um maná oculto e uma pedra branca sobre a qual será escrito um nome misterioso; por isso o ocultismo torna-se necessário na presença do triunfo temporal da Igreja e é preciso que o espírito interior de profecia proteste já contra a insolência dos prelados ricos e corrompidos. Podemos aproximar dessas advertências a explicação que demos do selo, da trombeta e do cálice correspondentes, e assim para os demais.

A Igreja de Thiatira representa o quarto estado da Igreja; é o tempo dos grandes doutores e dos grandes santos; é também a idade da decadência do Baixo Império; as imperatrizes, dirigidas pelos eunucos, metem-se a dogmatizar. Sofres, lhe diz o Verbo, pelo fato de a ímpia Jezabel se dizer profetisa, por ela dogmatizar, por ela seduzir mais servidores e levá-los à fornicação e à comunhão sacrílega dos ídolos.

Eu lhe dei tempo para se arrepender e ela não quer sair de suas impurezas. Vou derrubá-la sobre um leito de dor; os amantes adúlteros serão entregues às maiores tribulações e seus filhos tornar-se-ão a prole da morte (ruína do Império Romano e invasão dos bárbaros); mas aquele que vencer e for fiel à verdadeira doutrina até o fim, esse quebrará as nações como vasos de argila e eu lhe darei a estrela da manhã como eu a recebi de meu pai.

À abertura do quarto selo vemos a morte sobre seu cavalo amarelo percorrendo o mundo e arrastando atrás de si todos os horrores do inferno; é Átila que vem varrer os restos do velho império dos Césares.

A idade da barbárie é representada pela igreja de Sardes. Tu passas por viva, diz o Verbo, e estás morta; desperta! Reanima aqueles que ainda palpitam e que vão morrer. Toma cuidado, porque o julgamento irá te surpreender; há ainda, contudo, no meio desse túmulo, algumas almas puras, alguns anjos vestidos de branco... Aquele que vencer será vestido de branco, e eu não apagarei seu nome do livro da vida; quem tiver ouvido ouça o que o espírito diz às Igrejas!

A sexta idade começa na Renascença. Uma porta nova se abre para a Igreja; a porta da inteligência e do progresso. Essa igreja é medíocre em virtude, mas guardou fielmente a palavra santa. O castigo dos judeus havia cessado, vários dentre eles voltam e se convertem, mas uma grande prova se prepara; a humanidade atravessará uma imensa crise, começa a revolução; eu te guardarei, diz o Verbo, na hora dessa prova que deve estender-se por todo o universo, para provar todos os habitantes da terra. Eu virei logo. Cuida bem daquilo que tens e que ninguém te roube a coroa! Daquele que vencer eu farei uma coluna do templo de Deus e escreverei sobre ele o nome do Senhor e o da cidade santa, da nova Jerusalém que vai descer do céu, e eu lhe ensinarei meu novo nome (trata-se, portanto, aqui de uma espécie de revelação nova ou, pelo menos, de uma nova inteligência da revelação universal, figurada pelas colunas do templo — Jakin e Bohas — e pelo santo tetragrama que forma o nome e a ciência da nova Jerusalém, como demonstramos).

Depois da sexta idade vem a sétima, que deve ser para a Igreja um tempo de repouso, pois a partilha de sua duração em sete idades é imitada da narração da criação do Gênese, cada idade representando um dos dias de Moisés, mas a economia da revelação é tal que jamais vemos a igreja oficial e sacerdotal se regenerar por si mesma e caminhar à frente do movimento progressivo. A sinagoga sempre renegou e perseguiu os profetas. O grande sacerdote Caifás, com os príncipes dos sacerdotes de seu tempo, excomungaram os discípulos de Cristo e mandaram crucificar o Mestre. O mesmo acontecerá quando da regeneração do Cristianismo pelo espírito profético e a manifestação das altas verdades da Cabala.

Por isso vemos, no livro de São João, o Verbo dirigir censuras a uma sétima Igreja, que é a de Laodicéia, a última de todas e a mais despida de graças e de verdade.

Escreve ao anjo da Igreja de Laodicéia. Eis o que diz: Amém.

O testemunho fiel e verdadeiro
Que é o princípio das criaturas de Deus.
Conheço tuas obras.
Não és nem fria nem quente.
Quisera Deus que fosses fria ou quente; mas porque és morna, começo a te vomitar de minha boca.
Dizes que sou rico e que nada me falta.
E não sabes que és pobre.
E miserável.

E cega.
E surda.

Assim, essa igreja sem caridade e inimiga de todo movimento progressivo se distinguirá por sua teimosia e seu orgulho; ela renegará o progresso porque, dirá ela, nada lhe faltará enquanto ela for desnudada de toda verdade e de todo mérito.

Eu te aconselho, acrescenta o Verbo de verdade, *que compres de mim o ouro purificado e passado ao fogo, a fim de te enriqueceres e de te revestires das vestes brancas* (da inteligência e da luz), *a fim de não deixares ver mais as torpezas de tua nudez.*

Eu te aconselho, enfim, que unjas teus olhos com um colírio para dissipar tua cegueira.

Depois o Verbo declara que ele repreende e castiga aqueles a quem ama; essa igreja cega e teimosa é, portanto, agora, a sua; é a nova Sinagoga, obstinada como sua mãe, e criando obstáculos ao reino do Espírito Santo como a Sinagoga Judaica criara obstáculos ao reino de Jesus Cristo. Eis que estou à porta e bato, acrescenta o Verbo de verdade; aquele que ouvir minha voz e me abrir a porta, ceará comigo e eu com ele.

Aquele que vencer, eu o farei sentar-se comigo sobre meu trono, como eu venci e me sentei sobre o trono de meu Pai.

É por essa proclamação do grande reino messiânico que terminam as advertências às sete igrejas. Abriu-se, então, o sétimo selo, soou a sétima trombeta, esvaziou-se o sétimo cálice e o Redentor repousa; a segunda criação está terminada e em toda a extensão do céu faz-se o silêncio.

É A CHAVE DO REINO

Tais são os mistérios desse livro que durante dezoito séculos foi para a própria Igreja um livro fechado e inexplicável. Somente a tradição dizia que a inteligência desses símbolos seria dada na última idade da Igreja, e que a explicação do Apocalipse seria um dos sinais característicos dos últimos tempos.

Eis essa explicação:

Ela está escrita, mas ainda não foi publicada. *(Enfim, ela está publicada.)*

Podem passar séculos ainda antes que ela seja conhecida por todos.

Será o que a Providência quiser.

São João, o apóstolo amado, não devia morrer; ele devia esperar a vinda de seu mestre, dizia uma antiga tradição.

Na Idade Média, dizia-se que o sacerdote João, ou João, o Ancião, como ele se chama a si mesmo em suas epístolas, tornara-se rei do Éden e que ele possuía em seus Estados todas as maravilhas do mundo antigo e do mundo novo. Lá se encontrava a fênix e o pelicano; lá repousaria, de sua longa viagem, o judeu errante.

Porque nesse país compreendia-se a verdade de todas as lendas e o sentido de todos os símbolos.

Com a chave do Apocalipse podemos penetrar no reino do sacerdote João.

Glória somente a Deus.

FIM

ÍNDICE DAS ILUSTRAÇÕES

Editora Pensamento

Rua Dr. Mário Vicente, 374
04270 São Paulo, SP
Fone 63-3141

Livraria Pensamento

Rua Dr. Rodrigo Silva, 87
01501 São Paulo, SP
Fone 36-5236

Gráfica Pensamento

Rua Domingos Paiva, 60
03043 São Paulo, SP
Fone 270-3033